〔英〕拉切尔·莱特 原著 〔英〕罗斯特·罗伯特森 绘 阎庚 译

北京出版集团
北京少年儿童出版社

著作权合同登记号
图字:01-2009-4305

图书在版编目(CIP)数据

破案术大全 /（英）莱特（Wright，R.）原著;（英）罗伯特森（Robertson，R.）绘；阎庚译．—3 版．—北京：北京少年儿童出版社，2010. 1（2024.7重印）
（可怕的科学·科学新知系列）
ISBN 978-7-5301-2388-1

Ⅰ.①破…　Ⅱ.①莱…　②罗…　③阎…　Ⅲ.①刑事侦察—少年读物　Ⅳ.D918-49

中国版本图书馆 CIP 数据核字(2009)第 195954 号

可怕的科学·科学新知系列
破案术大全
PO’AN SHU DAQUAN
［英］拉切尔·莱特　原著
［英］罗斯特·罗伯特森　绘
阎　庚　译
*
北　京　出　版　集　团
北京少年儿童出版社　出版
（北京北三环中路6号）
邮政编码:100120
网　址：www . bph . com . cn
北京少年儿童出版社发行
新　华　书　店　经　销
三河市天润建兴印务有限公司印刷
*
787 毫米×1092 毫米　16 开本　7. 5 印张　50 千字
2010 年 1 月第 3 版　2024 年 7 月第 51 次印刷
ISBN 978 - 7 - 5301 - 2388 - 1/N · 176
定价：22. 00 元

目录

破案专题

现在播出破案专题节目……电视台的破案节目能让你生活得更有乐趣。
破案
专题节目

如今，犯罪问题十分严重，好多人觉得去偷去抢比上班挣的钱多多了，越来越多的人去偷去抢去犯罪。
这就是罪犯

然而，罪犯的生活可不能光明正大。坏蛋们大多只能在半夜出洞，他们的工作环境没有阳光，没有温暖，甚至连找个厕所方便一下都难哪。

而且，这些犯罪分子还得全力应付精明强干的正义之士，比如警探、研究犯罪的科学家和法医们等等，这些人可有数之不尽的锦囊妙计来抓捕罪犯。
没错，就是他干的！

所以，如果你想知道破案的种种秘诀……快来读读这本书吧。读过之后，你就会了解到，破案专家们是怎么通过头发丝或一滴血那么细小的线索抓住坏蛋的。
破案术大全

你还能知道，一颗子弹头是怎么帮助警察抓住杀人犯的，还有，为什么越来越多的杀人犯不再选择用毒药杀人呢？

甚至你本人还能亲自参与破解谜案的过程。

如果你还想知道哪个罪犯是被犯罪心理学家识破伪装的；识别指纹的方法被用于破案以来，谁是第一个被抓住的倒霉蛋，就接着往下看吧……保你过瘾！

指纹档案

不论犯罪分子如何精心地去策划犯罪，有一件事绝对可以肯定，他们在离开现场之前一定会意外地留下破绽，就如同下面这些真实的故事里所描述的那样……

杀人犯的记号

1892年，阿根廷有两名儿童死在了自己的家里，他们都是被坚硬的物体击中脑部后死去的。这两名儿童的单身母亲名叫弗兰西斯卡·洛佳斯，她很快便指控一名叫维拉斯克斯的牧场工人为杀人凶手。但是，维拉斯克斯一口咬定自己是无辜的，就是不承认杀人。于是，当地的警察局局长决定采用强迫的手段让他认罪。

但是，维拉斯克斯还是坚决不招供。

同时，一些关于孩子的母亲弗兰西斯卡·洛佳斯的闲言碎语传到了警察们的耳朵里，有人说这个单身女人曾经交了个新男朋友，这个男人说，如果她没有孩子就好了，那样就可以娶她了……一时间，维拉斯克斯不再有犯罪嫌疑了，而弗兰西斯卡成了警察高度怀疑的对象。

警察局局长决定再次采用强迫手段。这回，他整夜都在弗兰西斯卡家窗外装鬼叫，希望吓得她把什么都招了。可是，弗兰西斯卡就是不害怕。

最后，警察局局长决定借助外力了。于是，地区警察总署派来了一位警官。新来的警官认认真真地实地考察了弗兰西斯卡家，结果发现房门上有个手指血印。这位警官迅速砍下有血印的

门板，把它扛回了警察局。在警察局里，警察要求弗兰西斯卡用右手拇指蘸上墨水，按在一片白纸上。

结果，弗兰西斯卡右手拇指按出的指纹和门板上的血指纹完全吻合，毫无疑问，门上的血指纹正是弗兰西斯卡留下的。新来的这位警官用事实证明弗兰西斯卡参与了杀人过程。

最后，弗兰西斯卡坚强无比的神经彻底崩溃了，她承认自己杀死了孩子，因为孩子们破坏了自己和男朋友结婚的好事。她先用石头猛击两个孩子的头部，又把石头扔进了井里，然后洗净了双手……只是洗手之前碰了一下门。

案子破了，弗兰西斯卡·洛佳斯作为第一个依据指纹被抓的杀人犯而载入了史册。

印记的困惑

弗兰西斯卡因为指纹吃尽了苦头，而指纹却成为识别人们身份的最好方法，因为世界上没有两个人的指纹是完全相同的。而且，除了没有完全相同的指纹以外，指纹还具有一些其他特征，这些特征也可以用来确定人的身份。快速回答下面的问题，看看自己的手指头有没有以下特征。

1. 从出生到死亡，人的指纹模式都是保持不变的。是对是错?

2. 消除指纹的唯一方法就是用酸烧或用砂纸磨掉它。是对是错?

3. 指纹在人死后是身体最后腐烂的部分之一。是对是错?

答案

1. 对。你手指上的指纹模式在妈妈肚子里时就形成了。

2. 错。当皮肤再生的时候，指纹也会再生。用给手指头动手术的办法来改变指纹并不可靠，不能保证成功。1941年，有个被宣告有罪的强盗想给自己的手指做个手术，用身上其他部位的皮肤换掉手指尖上的皮肤，以便去掉指纹。手术成功了，这个强盗马上去抢劫，结果很快就又被抓住了。警察靠着他手上没被换掉的那部分皮肤印记，还是认出了他。

答案

3. 对。指纹可以用来识别死去几个月甚至几年的死者的身份。1933年，在澳大利亚东南部的瓦嘎瓦嘎市郊，有人发现了一块人手上的皮肤，样子看起来像一只用人皮做的手套。切下“人皮手套”上的一小块，把它的指纹印在纸上，就像弗兰西斯卡·洛佳斯印指纹时一样，这样可以判断出“人皮手套”到底是属于谁的，进而查找出凶手是谁。

破案纪实

英国有个半夜飞贼，自认为十分聪明，他脱下袜子套在手上作案，觉得这样就不会留下指纹。但是，很快他还是落网了。警察根据现场留下的脚印辨认出了他。和指纹的特性一样，世界上也没有两个人的脚印是完全一样的。另外，手掌纹和耳朵上的纹路也具有这样的特性。

自己动手印指纹

指纹的模式大致可以分成3种类型——环形、弓形和螺纹形。想知道自己右手的拇指纹属于哪种类型吗？把拇指按在印泥上，从指甲一侧旋转到另一侧，让拇指蘸匀颜色，接下来再把拇指按在平整的纸上。跟下面的图形比比，看看自己的拇指纹属于哪一类。

环形

平整环形

集中环形

俯垂环形

弓形

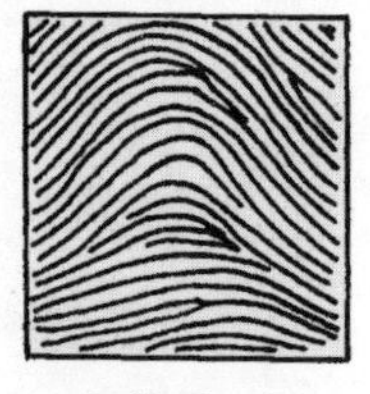
平整弓形

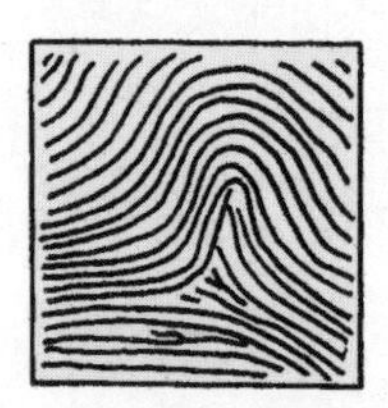
帐篷弓形

螺纹形

盘旋螺纹形

双生螺旋形

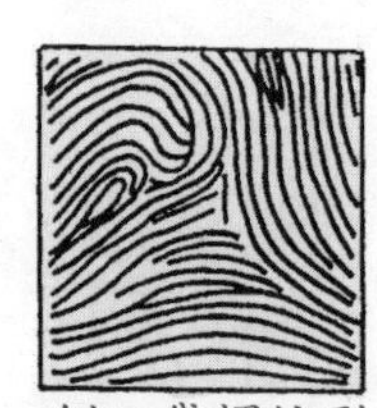
侧口袋螺纹形

混合螺纹形

突变螺纹形

寻找指纹

指头如果沾上血、颜料或是其他脏东西，手指印就会很容易被发现。但是，如果手上只有油腻的汗水，那么，它的印记就很难被察觉了。用毛巾把玻璃杯从里到外擦拭干净，用手紧紧抓住它，再把它放下。杯子看起来仍然干净如新，对吧？抓住杯子底部，放在电灯下观察（记得事先把灯打开），这回看见了吧，你的手印清楚地印在上面呢。

犯罪分子留在犯罪现场的指印多数时候都比你留在杯子上的指印难发现多了。这些难以察觉的指印被称为“潜在的指纹”。通过下面这一部分内容，你可以亲自检查犯罪现场，找一找破案的关键——“潜在的指纹”。下面这段文字报告摘自《破案术》一书，作者卡西·克莱克特本人就是位侦破专家。

卡西·克莱克特档案

案件：醉鼠夜盗案

报告编号：1

现在，喝酒不是我的最爱，其实我是个喜欢软饮料的女孩。工作毕竟是工作，当接到电话说醉鼠酒吧发生入室盗窃案时，我马上就接手了这个案子。酒吧主人看上去简直像个垂死的鸭子。

昨夜，他和平时一样，把大门锁上，打扫完店铺，然后就上楼睡觉了。但是，今天早晨他下楼后发现，放现金的抽屉连同里面的现金全都不见了。

有个路过的女人说，她清楚地看到两名男子午夜时分离开酒吧，他们还扛着一些沉东西。不过，目击者的话往往不能轻易相信，以前，有个受害者曾经亲口对我说凶手拿个巨大的柠檬打了她，可破案后才弄清，她其实是被大橙子砸了一下子。现在，我需要更多的目击证人。我弄来了可口可乐和甜酒，但还是滴酒未沾。后来，我在现场找到至少6处窃贼可能留下指纹的地方。

你认为窃贼的指纹应该在哪些地方找到呢？提示你一下，仔细想想，窃贼应该怎么进入酒吧，怎么离开酒吧，他们又是怎么带走现金抽屉的。

线 索：能留下指纹的物品包括纸、油漆过的物体、没油漆过的木头、植物、玻璃以及大多数金属（橡皮手套的里面也会印下指纹，但是，除非窃贼们离开酒吧前还戴上它用水清洗过现场，又把它扔在地上，否则你没法搞到它）。不可能留下指纹的物品包括石头、石材和砖头。

出口

出口

答案

1. 窗户插销。大量的碎玻璃散落在酒吧的地面上，这意味着有人从外面砸碎了玻璃，进而拧动窗户插销，打开了窗户。

2. 窗框和窗台。窃贼往窗户里爬的时候很可能用手抓过窗框。

3. 离现金抽屉最近的、倒扣在柜台上的凳子。其中的一名窃贼可能把倒扣的凳子推得离现金抽屉远一些，好更方便地把现金抽屉从柜台上拿下来。

4. 地面上的凳子。其中的一名窃贼可能拿起它来，放到离柜台远一些的地方去，好更方便地移动现金抽屉。

5. 电灯开关。盗窃发生时正是半夜，店里一片漆黑，窃贼得开灯才能看清作案环境和盗窃目标。

6. 钥匙孔和前门的把手。窃贼最后可能是从这道门离开的。

指纹灰尘

找出可能留有指纹的物品只是破案的第一步。让这些肉眼看不见的指纹彻底暴露在人面前，以便它们被收集或拍摄下来，是破案过程中更为重要的一步。有很多方法可以让隐藏的指纹显现出来，到底选择哪种方法，很大程度上取决于指纹留在什么物体的表面。

破案技巧入门

拂去指纹上的灰尘

菲尔菲格斯·奥弗瑞

第一种方法

适用于玻璃杯、窗户框以及电灯开关等光滑无孔的物体表面上的指纹：

1. 用细软的绒毛刷子轻轻拂去光滑物体表面的指纹灰尘。这些灰尘本来被汗粘在指印纹路的细缝里，去掉它们后，隐藏的指纹就露出来了。

2. 先把干净的黏性胶带按在指纹上，再把它拿起来，按在一张卡片上。

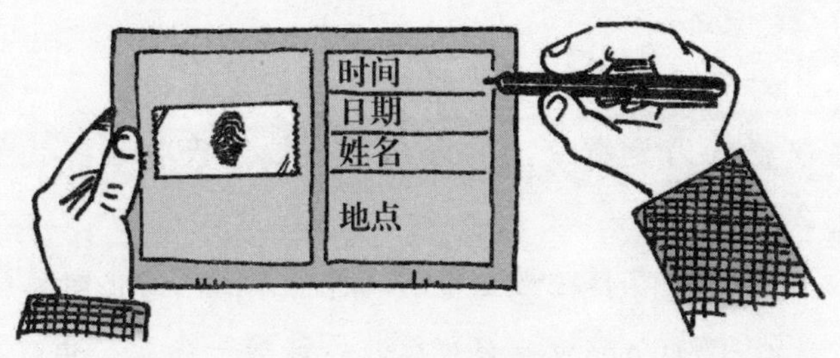

3. 在卡片的一边写上时间、日期、自己的姓名，再简略地记录下你是在哪里发现这个指纹的。

第二种方法

对于汽车内塑料装饰物之类粗糙表面上的指纹，可以用蒸汽来对付它。因为在这种表面上，如果也用刷子刷它，就可能把指纹刷掉了。要想记录下汽车里的指纹，请按以下步骤操作：

1. 把一种叫作氰基丙烯酸盐黏合剂的材料放在汽车内加热，然后把汽车密封起来。氰基丙烯酸盐黏合剂一旦被加热，就会产生出蒸汽。这些蒸汽能让隐藏的指纹变成白色，并固定在原地。

2. 当隐藏的指纹固定在那里后，你可以采用上面介绍的第一种方法把它取下来。

第三种方法

对于被偷支票上的指纹，我们就不能用第一种方法去取样，因为指纹上的汗液早已被纸吸收了。我们可以这么做：

1. 用喷雾器往纸上喷射一种叫茚三酮的化学制剂。

2. 用加热的熨斗熨烫纸片，静等一会儿，指纹就显出来了。

第四种方法

当调查某种特殊的案子，比如谋杀案时，最大的难题有时并不是找不到指纹，而是在找指纹时浪费了太多的时间，我们应该这样：

1. 关掉发生凶案房间里所有的灯。

2. 自己携带便携式激光探测装置，戴好保护眼睛的特制眼镜，用一束激光扫射房间的每一个角落。这么做可以让指纹上的某些化合物发出荧光（那荧光就和夜光手表上的光亮差不多）。

3. 在激光的照耀下，把指纹拍摄下来。

破案纪实

美国的联邦调查局简称FBI，FBI早在1980年就开始用激光寻找指纹了。

指纹比对

通常情况下，大多数取自犯罪现场的指纹都很容易识别，因为只要把它们和房屋主人的指纹比对一下就会知道，那些和主人不一样的陌生人的指纹就有可能属于罪犯。如果警察有了怀疑的目标，就会把嫌疑人的指纹与现场陌生人的指纹放在一起比对，如果相匹配，就证明嫌疑人最起码到过现场，即使他（或她）抵赖也无济于事（他们通常都会不承认的）。

但是，如果警察们根本没法确定谁是嫌疑人，那怎么办呢？

答案很简单，他们会把现场陌生人的指纹与储存在电脑里的有犯罪记录的人的指纹进行比对。

要知道，无论一个罪犯什么时候被捕，他（或她）的指纹都会被记录下来。过去，警察记录罪犯的指纹时，采取的方法跟前面介绍的方法一模一样。现如今，指纹记录则多采用电脑记录的办法。首先，嫌疑人的指尖被按压在活体扫描机的玻璃表面上，接下来，扫描机扫描下指纹，把指纹图形转换成数字，再把这些数字发送到警察局的电脑里储存起来。

一旦从犯罪现场取来的可疑指纹输入到警察局的电脑里，电脑系统就开始自动检索数据库，看看里面有没有与之相似的指纹。最后，它会显示出和它相近的一组指纹，指纹分析人员可以从中找出最接近的那个。指纹分析的依据是比较这些指纹的纹路从哪里断掉、从哪里连上，又从哪里分开。

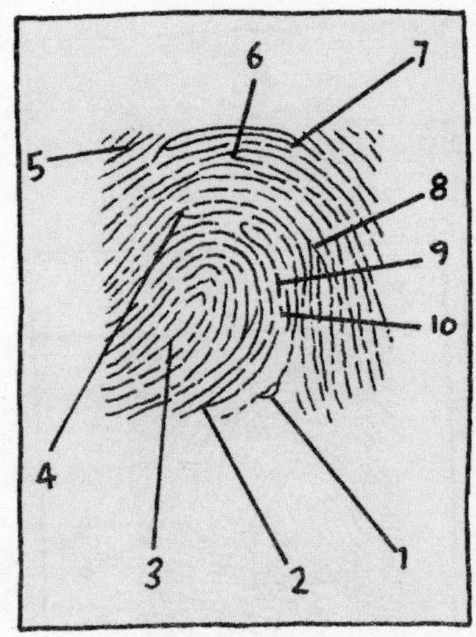

从犯罪现场提取的指纹

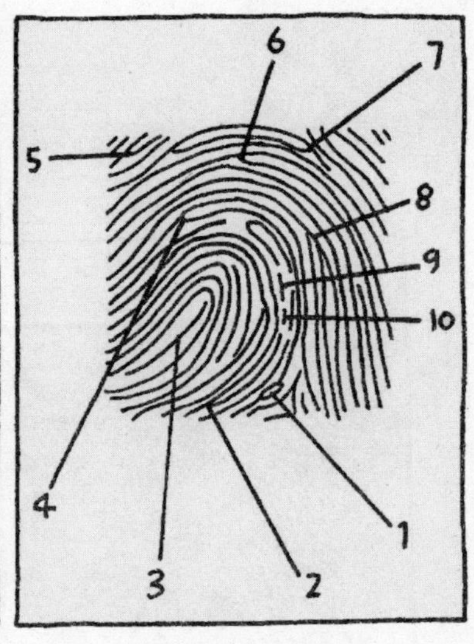

电脑数据库中的指纹

试着自己比对指纹

现在，假设你是一名侦探，正在调查一起发生在冻鱼条工厂的入室盗窃案。你想来想去，觉得可能是菲力克·弗兰克干的，可是，没有证据呀。下图左边这个指纹是从工厂取回来的，仔细看看，它跟菲力克·弗兰克留在警察局里的指纹记录相同吗？

从冻鱼条工厂取回的模模糊糊的指纹

弗兰克档案中的指纹

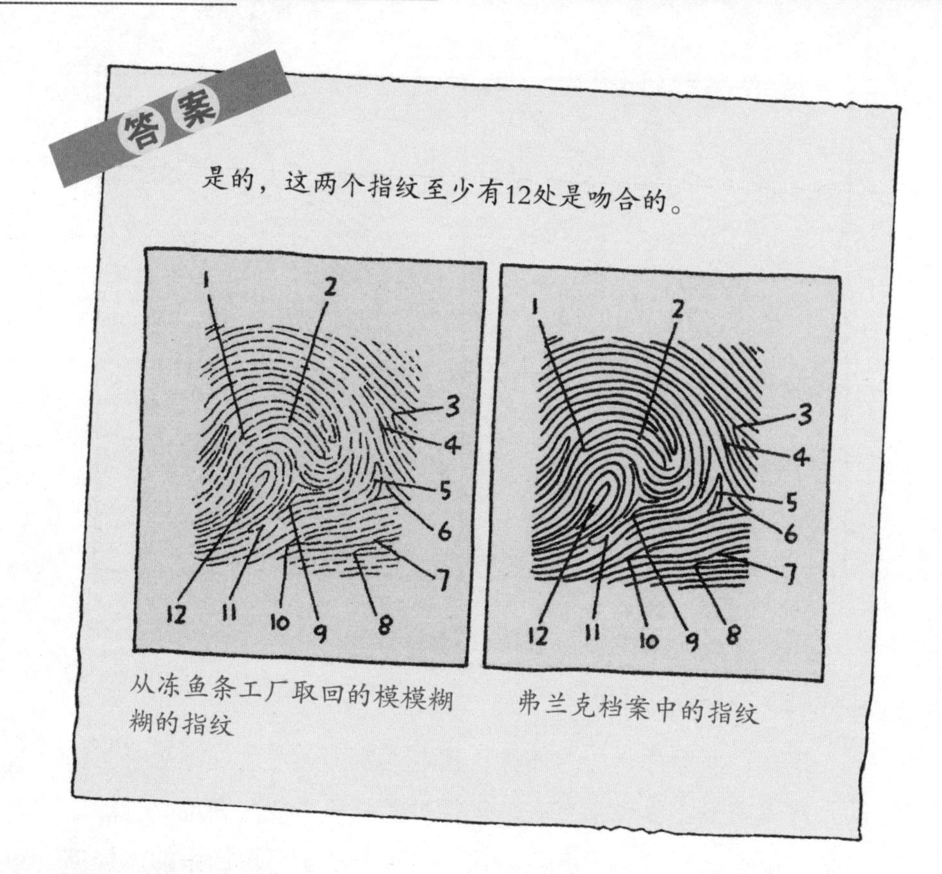

从冻鱼条工厂取回的模模糊糊的指纹

弗兰克档案中的指纹

过去的犯罪

20世纪70年代的早期，电脑指纹识别系统第一次投入使用。在那之前，指纹被记录在纸上，装在档案袋中。而比对犯罪现场指纹和档案中的指纹完全靠人工完成。后来，电脑指纹识别系统的投入使用使得指纹比对的工作变得更加容易和快捷，它还帮忙破获了好多年之前遗留下的陈旧谜案。知道吗，在最开始投入使用的几年，电脑指纹识别系统帮助美国旧金山市警察局破获了816件陈年旧案，这一统计只是众多城市中的一小部分数据。

犯罪实录

案例研究1：萨拉·罗斯谋杀案

1963年，美国好莱坞有一名叫萨拉·罗斯的女服务员在家中被人谋杀了。这一新闻在当地社会引起了轩然大波。

在1963年的时候，电脑指纹识别系统还没有投入使用。好莱坞的侦探们花了好几个月的时间，在30 000个纸件指纹档案里拼命搜寻，希望找到与萨拉·罗斯家里指纹相同的指纹记录。但是，最后也没有找到与之相似的指纹，寻找杀人犯的行动也只好就此停止了。

30年过去了，这个案子一直没能告破。转眼间到了1995年，这个案子忽然有了新的突破。这时，电脑指纹识别系统成了破获此案的希望所在。侦探们把从萨拉·罗斯家找到的可疑指纹输入了计算机，并从电脑里寻找相同的指纹。

电脑终于做到了。

1963年的时候，凶手的指纹在指纹档案袋里并没有记录，因为当时他从没被捕过。然而，在接下来的年月里，他不停地卷入各种官司中，他的指纹也就被记录了下来。经过30年的漫长岁月，萨拉·罗斯谋杀案终于告破了，凶手得到了应有的惩罚，这都要感谢关于指纹识别的高科技研究。

伪造指纹

能证明是谁实施了犯罪、怎么实施犯罪的那些东西叫作证据。指纹作为证据已经帮助人们侦破了大量各种各样的案件。但是，指纹也不是总那么真实可靠。在极少数的时候，现场指纹是一些别有用心的指纹分析专家伪造出来的，其目的是想不负责任地赶快抓个人交差了事。

下面故事里的指纹分析专家就是这么做的：他影印了电脑记录中一名嫌疑犯的指纹，当影印指纹的纸还潮湿的时候，他把干净的透明胶条按在指纹上，印下了指纹。

然后，他把透明胶条印在犯罪现场的某件东西上，给印有嫌疑犯指纹的物品连同透明胶条一起拍了照。当有人问他为什么要把胶条覆盖在指纹上时，他回答说："保护指纹呗。"

这是个狡猾的人设的骗局，只是他狡猾得还不够彻底。这位指纹分析专家犯了个简单的错误，他忘了修改一下电脑里的指纹记录。后来，一位细心的警察决定比较一下现场的指纹与电脑记录中所有嫌疑犯的指纹，他发现伪造的指纹与电脑中的一个指纹完全吻合，一丝不差，于是产生了怀疑。也许你会问："这有什么可怀疑的呢？难道同一个人的指纹不该相同吗？"不是这么简单的。同一个手指印出的指纹也应该因为用力的不同、手指接触物体位置的不同而有区别。当这位细心的警察发现伪造的指纹和电脑记录中嫌疑人的指纹完全一样的时候，那就说明，有人作假了，疑点当然指向了那位别有用心的指纹分析专家啦。

用DNA破案

卡西·克莱克特档案

案件：醉鼠夜盗案

报告编号：2

我正在帮助同事们做指纹取样的工作，这时，那位目击者走了进来。她半夜曾经见过两个男人鬼鬼祟祟地离开了酒吧，她一口咬定，这两个贼就是被通缉的那对大盗：罗易·罗恩和吉布·卡什。

我早就听说过这两个家伙的大名：职业罪犯，他们的犯罪记录档案比电话号码簿还厚呢。我打电话给助手们，让他们骑车把两个坏蛋的档案送到酒吧来。

犯罪记录

第1页（共25页）

姓名：李维斯·罗易·罗恩

生日：1963年10月27日

职业：大盗

身高：1.83米

体形：瘦小枯干

眼睛颜色：灰色

头发颜色：金红色间杂着铜红色条纹（染的）

简 介：

他的爱好包括收集古代的艺术品、文艺复兴时期的旧家具，听古典音乐以及偷东西，爱穿粉色的丙烯腈纤维质地的衣服和格子花呢裤子。

犯罪记录

第1页（共35页）

姓 名： 查尔斯·吉布·卡什

生 日： 1961年3月6日

职 业： 大盗

身 高： 1.67米

体 形： 肥胖

眼睛颜色：绿色

头发颜色：他有头发吗?

简 介：

他有便秘的毛病，平足，近视眼，爱放屁，鼻子爱出血，耳朵也有慢性疼痛，总爱穿绿色的幸运牌内裤。

我为自己倒了一杯无酒精的啤酒。我知道，吉布和罗易是狡猾的大盗，他们的指纹不太可能在醉鼠酒吧找到，这个结论只要随便向他们的照片瞥上一眼就能得出来。我再次勘察了一遍犯罪现场，觉得必须寻找一条与搜索指纹不同的新的破案线索。

后来，我在柜台后面的地板上找到了一块沾着血斑点的纸巾。

我的心脏开始剧烈地跳动，据了解，酒吧主人在锁门之前已经打扫过卫生了，所以，这块纸巾一定是他上楼睡觉之后才掉在那里的。吉布·卡什的档案记录告诉我，他有爱流鼻血的毛病，那么纸巾上的血迹很可能就是他的。为了证实这一点，我把纸巾放进一个干净的样品袋里并写上标签，送到犯罪证据检验实验室进行紧急化验。

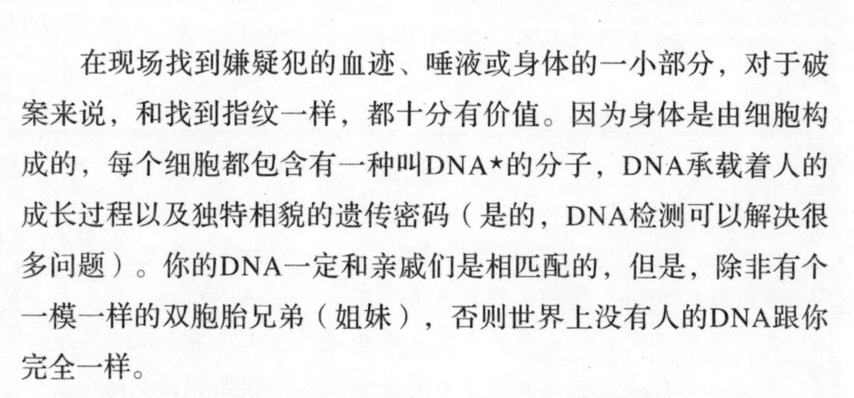

在现场找到嫌疑犯的血迹、唾液或身体的一小部分，对于破案来说，和找到指纹一样，都十分有价值。因为身体是由细胞构成的，每个细胞都包含有一种叫DNA*的分子，DNA承载着人的成长过程以及独特相貌的遗传密码（是的，DNA检测可以解决很多问题）。你的DNA一定和亲戚们是相匹配的，但是，除非有个一模一样的双胞胎兄弟（姐妹），否则世界上没有人的DNA跟你完全一样。

* 别羡慕那些在各种知识竞赛、考试测验中得第一的同学，下次，你也可以用“DNA是什么东西”这道难题去考倒他。偷偷告诉你，DNA就是——脱氧核糖核酸，记住喽！

到现在为止，还看得挺明白的吧？好，让我们看看DNA是怎么帮助警察破案的。研究犯罪的科学家们会从犯罪现场的血迹中提取DNA样本，并用一种化学制剂把它们分裂成大小不同的小块。这些小块按照从大到小的顺序先后被放进琼脂糖胶中继续分裂，琼脂糖胶看起来就像我们常吃的果冻一样。经过这道程序，它们便形成了黑色小长条形状，看起来像超市购物结账时要被扫的条形码。这个黑长条被人们称为基因图谱。法医可以从嫌疑犯血样里提取DNA样本，得出基因图谱，再把它和犯罪现场的血迹中得出的基因图谱进行对比，如果它们相匹配，就可以绝对肯定现场血迹是这个嫌疑犯留下的。这项检测DNA的技术就叫描绘基因图谱。

和指纹一样，罪犯及嫌疑人的基因图谱也被转换成了数字，存储在电脑里，并形成世界范围内的联网。从那些仍未告破的谜案现场的血迹得出的基因图谱也都存储在了电脑里。世界上首个国际犯罪资料数据库——国际DNA数据库，是1995年在英国建立起来的，到今天为止，它已经存储了100多万个罪犯的基因图谱。

过去的犯罪

描绘基因图谱的方法首次用于抓住杀人犯是在1987年。从那以后，它帮助人们破获了几乎所有未破的谜案，这其中包括号称20世纪最神秘的谜团。

犯罪实录

案例研究2：公主失踪案

1920年，一名叫安娜·安德森的女士在德国宣布，自己是俄国沙皇尼古拉斯二世的亲生女儿——安娜塔西亚公主。沙皇尼古拉斯以及全家都已在两年前被处决了，所有的人都认为安娜塔西亚公主已经和她父亲一起死掉了。

有些人相信安娜·安德森的话，因为在俄国沙皇全家的墓地开放以后，人们没有发现安娜塔西亚公主的遗骸。但是，安娜·安德森的话从来没有得到过证实。1964年，安娜·安德森去世了，把她身世的谜团一起带进了坟墓。

一转眼30年过去了，事实的真相终于大白于天下。在安娜去世之前，曾经做过一次手术，她身体的一些组织被医院保留了下来。1994年，有人为这些身体组织描绘了基因图谱，把这个基因图谱和沙皇直系后裔的基因图谱进行对比后，得出的结论震惊了天下：安娜·安德森的DNA与沙皇直系后裔的DNA完全不相配，安娜·安德森根本不是安娜塔西亚公主，她只不过是个制造了大骗局的普通女人罢了。

破案纪实

1993年，英格兰的彼得·哈斯汀把自己的女友捅死在她家中。彼得的鞋子溅上了女友的血。虽然他擦去了血迹，但是却没想到，有些极小的、肉眼看不见的血点没被擦净，留在了鞋子上。到了1999年，这些遗留下来的小血点被描绘出了基因图谱，证实血是彼得女友的，于是，彼得作为真凶受到了应有的惩罚。

蛛丝马迹

卡西·克莱克特档案

案件：醉鼠夜盗案

报告编号：3

虽然对比DNA还不是我的最后一招，但我还是非常希望纸巾上血迹的DNA和吉布·卡什的DNA相匹配。

就剩下罗易·罗恩了，我实在需要案件发生当晚他到过现场的证据。

接着，我想起了罗易·罗恩档案中的某些细节，罗易爱穿粉色丙烯腈纤维质地的衣服，这引起了我的思考。通常情况下，我们的身上经常会落下衣物的细小纤维。如果罗易真的来醉鼠酒吧偷东西，那么就应该会有细小的纤维从他身上落下来，除非他是光着身子作案的。

我需要在犯罪现场找到和罗易衣服上相同的纤维。落在犯罪现场的纤维通常还没有一毫米长，而且比头发丝还细，所以，我知道想找到它们并不容易。

我径直去窗户附近搜寻，因为嫌疑人可能是从那里跳进去的。因为经常开关，窗户那里的纤维差不多有几千个，只要我从破碎的玻璃周围找到罗易和吉布衣服上的纤维，就能证明这两个坏蛋在这里干过坏事。

既然衣服上落下的纤维那么小，肉眼几乎都看不见，那么卡西是怎么发现并收集它们的呢？请看看下面的“破案技巧入门”吧。

破案技巧入门

巧妙收集检测衣服纤维

爱娃·弗鲁菲·斯维特

1．要从犯罪现场收集衣服纤维，就得用有黏性的胶条到可疑的地方去粘，这些地方的所有的纤维都会被粘到胶条上。

2. 把粘了纤维的胶条再贴到一个干净的塑料片上，这样可以固定那些纤维，使它们不会再丢失，也不会再被污染。

3. 拿上从犯罪现场取到的纤维，再带上嫌疑人的衣服，把它们一起送到犯罪证据检验实验室。从犯罪现场取到的纤维被放到显微镜下，那些和嫌疑人衣服颜色不一样的纤维全部被筛选掉。

4. 使用高倍的对比显微镜比较筛选后的纤维和嫌疑人衣服上的纤维，这种显微镜可以让你同时看到并比较两组纤维，它能把纤维放大400倍呢。

5. 如果在显微镜下发现两组纤维的颜色一样，宽度相同，那就需要进一步仔细比较它们的化学成分以及颜料的构成成分，以确定它们是不是真的一样。

幸运的是，调查醉鼠夜盗案的科技人员取得了重大的进展，他们已经证明了从被盗酒吧中找到的纤维是从粉红色丙烯腈质地的衬衫上掉下来的。现在唯一的困难是，商场里有成千件粉色丙烯腈质地的衬衫在出售，都和罗易·罗恩身上常穿的那件一样，科研人员怎么证明犯罪现场的纤维就是罗易衬衫留下的，而不属于另外那几千件?

商场里出售的那几千件粉色丙烯腈质地的衬衫是用许多组粉红色颜料染成的，每组粉红颜料染的衬衫数并不太多。因为没有两组粉红颜料是完全相同的，所以，只要证明罗易穿的粉红色衬衫纤维和现场找到的纤维是同一组粉红颜料染出来的，就可以大大缩小待查衬衫的范围。

那么，科研人员怎么证明犯罪现场的纤维和罗易衬衫的纤维是用同一组粉红颜料染成的?这就要用到一种叫薄层色谱法的科学分析方法。薄层色谱法，简称TLC，经常用来把染人造纤维的颜料从纤维上分离出来，以使人们了解颜料的具体化学成分是什么。下面，我们看看TLC是怎么操作的:

1. 取一个涂了硅胶的玻璃片，把犯罪现场取来的纤维上的染料溶解成溶液，将这个溶液点在玻璃片的下边缘处，点上3点，呈一字排开。

2. 把玻璃片的下端浸到一种溶剂中，注意，让点了3个点的一边朝下，而且溶剂不要浸泡到3个点，这种溶剂能被硅胶吸收，就像水能被纸吸收一样。

3. 当溶剂被硅胶吸收后，溶剂的水平线就会沿着玻璃片向上升。漫过斑点之后，由于染料自身的化学成分不同，它们被溶剂分离出来的速度也就不一样，于是，先分离出来的化学成分还处在原来的斑点处，后分离出来的就随着上升的溶剂在较为靠上的部分又形成了一行斑点。

4. 用上述方法再拿嫌疑人衣服上的纤维做一次实验，把两组玻璃片作一下比较，如果两组玻璃片上的斑点是一致的，那么可以肯定地说，两组纤维是由同一组颜料染出来的。

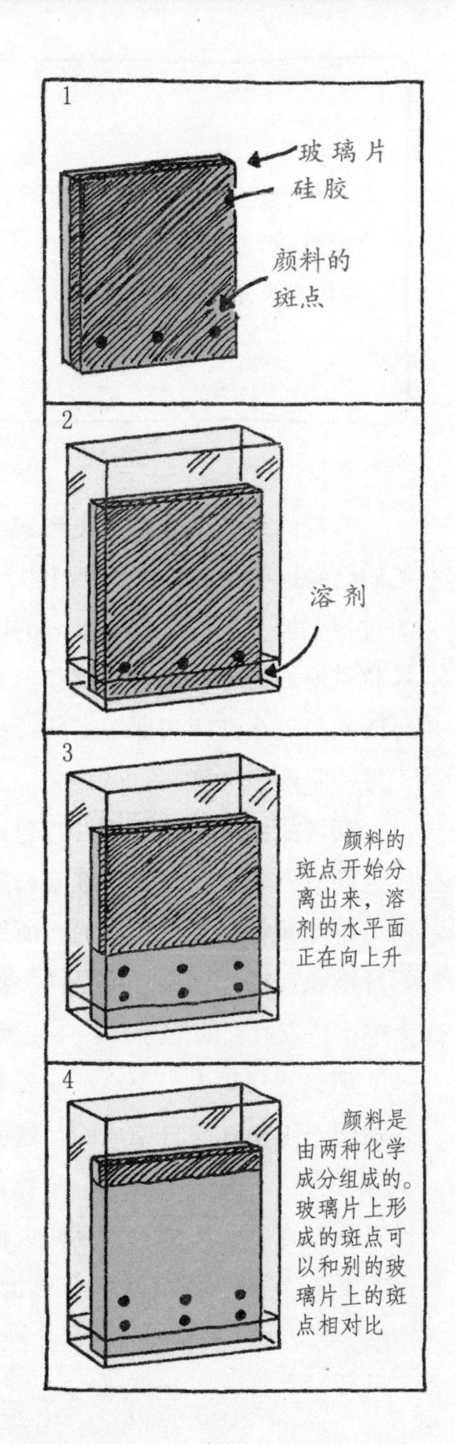

卡西·克莱克特档案

案件：醉鼠夜盗案

报告编号：4

证据检验实验室给我打来了电话，证实了我的推断。从犯罪现场找到的纤维和罗易粉色丙烯腈质地的衬衫上的纤维完全相同。

被倒空了的现金抽屉在附近的河边找到了，抽屉上也有和罗易以及吉布衬衫纤维完全相同的纤维。

证据检验实验室的工作人员还从罗易和吉布衣服上发现了极微小的玻璃碎片，而这些碎片和被盗酒吧窗前的碎玻璃完全吻合。这证明了两个坏蛋绝对在犯罪现场出现过。

是的，这就是一切，案子结了。剩下的事就是给我自己斟上一杯柠檬水，细细想想，自己以前在哪儿曾见过罗易·罗恩。

你知道卡西以前曾在哪儿见过罗易·罗恩吗？提示：“在通缉令上见过他”，可不是正确答案！

答案

醉鼠夜盗案发生之后，他曾出现在早间的电视新闻里（翻到第11页，看看在犯罪现场，你见没见到这小子）。

被地毯晒干

地毯纤维对你来说也许没什么新鲜的，但是倒退到20世纪80年代，这种细小的线头曾经帮助人们抓住了一个杀人犯。下面我们就看看到底是怎么回事。

犯罪实录

案例研究3：地毯纤维谋杀案

1979年到1981年，在美国佐治亚州的亚特兰大市，发现了很多具尸体，他们很明显都是被谋杀的，而且每人身上都沾了一些细小的黄绿色地毯纤维。警察们推断，凶手在黄绿色地毯上杀死了受害人，并把尸体丢弃到这座城市的河边以及周围地区。

为证实自己的推断，警察们布置了蹲守工作。他们每天都埋伏在案发现场附近的一座桥下，终于有一天，他们听到了水花溅起的声音，马上冲了出去。在桥上，警察抓住了一位开轿车的年轻男子。经过盘问，得知这名男子叫韦恩·威廉姆斯。其后，因为并没有证据可以逮捕这名男子，也没有人看见他往河里扔死尸，警察只好让他走了。

但是，一切很快就改变了。

两天之后，在离这座桥不太远的地方，发现了一具男尸，他的头发上也有黄绿色的地毯纤维，于是，警察有理由去搜查韦恩·威廉姆斯的住所了。

当他们步入房间，发现地板上覆盖着的正是黄绿色的地毯。

毫无疑问，家里铺着黄绿色地毯的韦恩·威廉姆斯具有极大的嫌疑。在警察们看来，整个70年代的亚特兰大，最热门的物品就要算黄绿色的地毯了。受害者身上发现的黄绿色纤维到底是不是来自韦恩家呢？

为了找到答案，警察们搜寻到了这种地毯的生产商，试图了解在佐治亚州甚至整个美国到底卖出了多少条这样的地毯。以此为侦查工作的突破口，警察们必须到佐治亚州的各个角落去调查，他们计算了一下，想知道亚特兰大市有多少人家可能用这种地毯，得到的答案是，非常少。

这种地毯上市仅仅12个月，大约只有8000个家庭购买了和韦恩家一样的地毯。换句话说，受害人在别的家庭被杀的可能性不大。

对韦恩来说，更糟糕的是，某些受害者身上还发现了和他汽车地毯上的紫色纤维完全相同的纤维。

警察们计算了一下，在亚特兰大找到同样铺有紫色地毯的汽车的概率只有1/4000。换句话说，要是还有人认为凶手应该另有其人，那这个人的智商大概跟蚂蚁差不多了。

1982年2月，韦恩·威廉姆斯被法庭宣判谋杀罪名成立。

筛选线索

正像你现在怀疑的那样，犯罪分子要是不在现场留下线索怎么办？没关系，通常，他们到达犯罪现场后，即使不留下什么，也很可能会带走某些东西——还记得醉鼠夜盗案里从罪犯衣服上发现的现场极小的玻璃碎片吗？

从衣服上找到犯罪现场的玻璃碎片显然值得高度怀疑，但是，衣服不时地沾上花粉、泥巴、沙子或小草对我们来说不是很平常的事吗？这就能作为犯罪证据吗？你凭什么一口咬定嫌疑人身上的小草就是从犯罪现场带来的，而不是从公园草地沾上的呢？让我们从“犯罪实录”中找找答案吧！

犯罪实录

案例研究4：“栽种”线索

1942年11月2日，美国纽约中央公园里，有个男人正在和他的狗一起散步。忽然，他被一具女尸绊了个大跟头。

从种种迹象看，这个女人是被勒死的。

有个眼尖的侦探研究了犯罪现场的照片，他发现女尸躺着的地方长着一些草本植物。后来，警察们从死者丈夫的裤子卷边里和衣兜里都找到了这种植物的草籽。但是，死者的丈夫声称，他9月份以后就再也没去过纽约中央公园。

他说的是真的吗？

一位植物学家拨开了此案的迷雾。他告诉警察，这种草本植物只在纽约的中央公园里生长，而且最早也得每年的10月才开花，要知道，植物开完花之后才会结籽。那么，死者的丈夫说他9月份之后再也没去过中央公园就是说谎。他身上的草籽应该就是11月1日去中央公园时沾上的。

1943年，死者的丈夫被法庭宣判谋杀罪名成立，并被送上电椅处死。

不同种类的印记证据

手指纹是犯罪分子留在现场的唯一印记证据吗？再想想。应该说，犯罪分子在现场留下的所有印记都可以帮警察破案。

追踪足迹

汽车轧过地面，留下的轮胎印可以向人们显示出这辆车的许多信息，包括车的大小、载重量以及轮胎的质地等。轮胎总是随着时间的推移而慢慢地磨损，所以，没有两个轮胎会磨损得完全一致。这就意味着，如果一辆逃跑的汽车逃离现场后没换过轮胎，那么就可以通过比较轮胎和留在现场的印记来确定它是不是到过现场。

和许多其他证据一样，犯罪现场的轮胎印也应该被收集起来，以便日后进行分析研究。不过，它可不能像其他证据一样被装进塑料袋里，再贴上附着简短说明的小标签。收集轮胎印，得制作一个同样的印记拷贝。

破案技巧入门

怎样制作轮胎印的拷贝

爱娜·斯博斯卡

1. 往一只结实的塑料袋里装上石膏和水，将它们充分混合。

2. 剪开袋子的一角，把石膏均匀地倒在轮胎印上，就像咱们把奶油挤在蛋糕上一样。当然，你不用挤出花纹来。

3. 当石膏完全干了，就会变硬，把它从地上拿起来，送到犯罪证据检验实验室去。

同样的方法还可以用来保留松软土地上的鞋印以及食物上的咬痕。

破案纪实

1983年10月24日，英格兰人阿瑟·哈特金森闯入拉特纳的家，杀死了拉特纳一家3口人。可在侦探面前，阿瑟·哈特金森一口咬定他没进过拉特纳家。侦探们检查了拉特纳家的冰箱，发现里面的奶酪有个咬痕。经过对比发现，这个咬痕正是阿瑟·哈特金森留下的，他显然对侦探们撒了谎。

鞋子线索

鞋印可以显示穿鞋人的许多特征，包括他穿的是哪种鞋，他的脚有多大，他穿着这双鞋到过哪些地方。而且，由于每个人走路时用的力量不同，所以每双鞋的磨损程度也是绝对不同的，这个特性使得鞋印也成为识别嫌疑人的重要证据之一。

判断嫌疑人的鞋印和犯罪现场的鞋印是否一致可以用很简单的方法：先对嫌疑人的脚印做个石膏模子，再用前面介绍过的拷贝轮胎印的方法，用石膏给犯罪现场的可疑脚印也做个模子，最后，比较一下这两个模子。如果它们完全一样，嫌疑人可得费事给自己辩解了。

自己做侦探

假设你是个侦探，正在调查针对鞋店的系列抢劫案，唯一的线索是现场的一个鞋印。现在，找到留下这个鞋印的鞋子成了焦点问题。请你从下面这些鞋里找一找，判断一下是哪只鞋留下了这个鞋印。

现场的鞋印……

答案

犯罪嫌疑人穿的是7号那只！

补鞋匠

破案纪实

你相信吗？自己发音时的声纹也能被记录下来。一个声纹就是一组曲线图，它可以表示你说话时声音强度的变化。

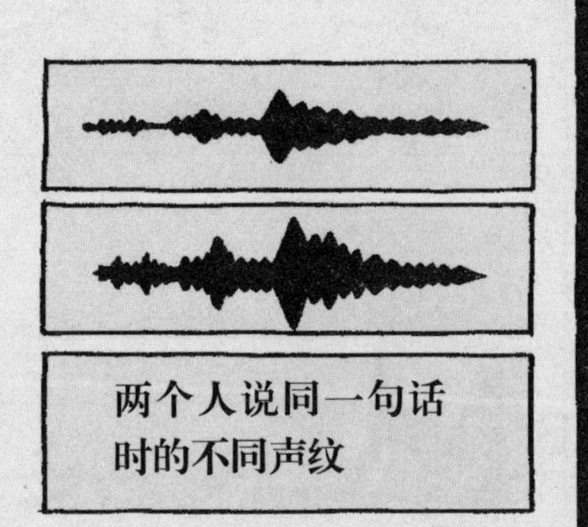

两个人说同一句话时的不同声纹

如果有人给警察局打电话说他要引爆炸弹，或者有绑架者打电话要赎金，警察可以把整个通话内容录下来。如果不久之后，警察抓住了嫌疑人，就可以获取他的声纹，把它同电话里的声纹相比较。当两者完全吻合时，这个人的犯罪嫌疑就特别大了。

工具印记作证据

螺丝刀、凿子或其他工具砸碎门窗时留下的印记，与犯罪分子留下的鞋印一样，也能作为证明嫌疑人有罪的证据。

和轮胎、鞋底相同，工具也是逐渐磨损的，上面多多少少会有一些微小的凹痕，没有两个工具上的磨损是完全一致的。如果曾经在犯罪现场留下印记的工具被警察找到，科研人员就会用它破坏一下同样的东西，对比破坏后留下的印记与现场印记，就能证明它是不是作案工具了。

谈到作案工具留下的印记，这里有一个真实的犯罪故事，绝对能证明不论嫌疑人隐藏得多深，一开始显得多么清白，最后也必然逃不出恢恢法网。

英国南威尔士的司机们被一个缺德的野蛮人困扰了18个月之久，这个坏蛋总爱在别人停好的车上写脏话。警察们起初认为这是一帮子年轻痞子干的坏事，可是他们搞错了。最后，他们终于发现，这等勾当居然是个老太太干出来的。当警察逮捕她时，在她的衣兜里发现了几片微小的油漆印。科研人员后来验证了这些油漆与两辆被损车辆身上的油漆完全相同。而且警察们还找到了她用来刻汽车的小刀，上面还沾着少量被损汽车的车漆呢。

后来，由于这个案子，当地人后来还爱开玩笑地说："当你的祖母说要出去散步时，千万检查一下她的衣兜！"

子弹泄密

专门研究枪和子弹的学科称为弹道学，那些专门研究枪支犯罪的科学家又叫作弹道专家。通过仔细检测犯罪现场子弹打出的痕迹，弹道专家能指出这发子弹是从哪种枪里发射出来的。你看……

女士们先生们，
男孩们女孩们……

嘿！什么是……

我们在此打断一下，展示给你一份关于子弹的报告：

▶ 枪筒内部的螺旋形膛线设计是为了让子弹可以旋转起来（旋转的子弹发射起来更精确）。

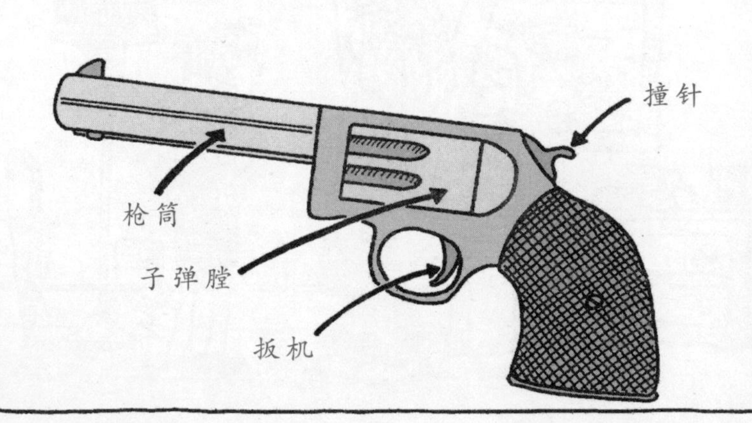

▶ 枪筒内部的螺旋形膛线在每颗嗖嗖发射出去的子弹身上都可以划出纹路，膛线纹路和弹身纹路是相匹配的。

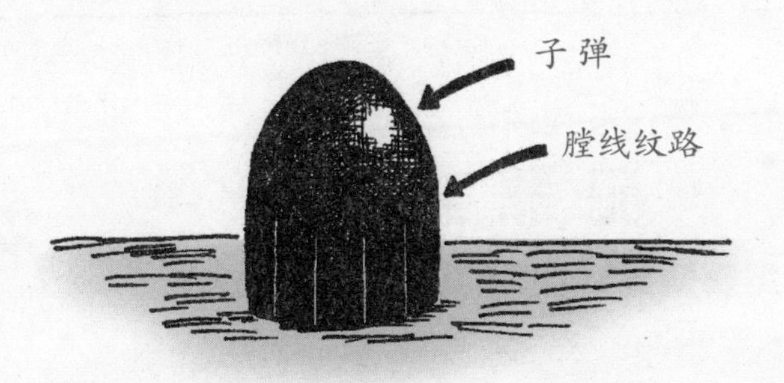

▶ 可以从发射出的子弹身上的纹路判断出它发自哪支枪，因为没有两支枪的枪筒内部的螺旋形凹槽是完全一样的。

▶ 每支枪在每次使用时都会产生细微的磨损，这意味着在同一个武器制造厂、用同一个模具制造的两支新枪，如果都发射过一颗子弹之后，两颗子弹身上的纹路就会有些许的不同之处。

▶ 随着时间的流逝，枪筒内部磨损得越来越厉害。没有两支枪会磨损得完全一样，所以每支枪射出的子弹身上的纹路都是独一无二的，一看就和别的枪射出来的不一样。

关于子弹的报告到此结束

好的，非常感谢你，我终于说完了。现在，如果你允许我继续讲的话……请看看下面这个弹道专家用专业知识破获谋杀案的故事吧。

犯罪实录

案例研究5：谋杀其实从没发生过

1989年7月4日，美国伊利诺依州有一群人聚集在一起欢庆美国的独立日，大伙又喝又笑，都有些醉意了。突然，出事了——预先没有任何征兆，人群中突然有个男人从轻便折叠椅上脸朝下摔了下来。他的妻子赶紧替他翻过身来，发现他的右胸上有一处枪击伤口。这群人里没人有枪，没人曾经看到或听到有什么可疑的人和事。这名男子为什么被杀、怎么被杀的，完全成了一个谜案。

那颗致命的子弹最后从死者左肺里取了出来，送到弹道专家那里去化验。幸运的是，这颗子弹没有碰到死者骨头之类的坚硬物体，还保持着完整的外形。

弹道专家仔细测量了这颗子弹的重量和大小，以便了解发射它的是哪种枪。结果显示，它是从四四口径的左轮手枪中发射出来的。由于有大量不同的制造商正在生产这种手枪，所以这位专家细致地测量了子弹身上凹线的纹路模式，再从电脑资料中查找了几千件武器记录，希望能找到这把枪的生产者。后来，研究取得了进展，他终于查到这把枪是红鹰牌的，它的生产公司叫鲁格公司。

警察们直接进入当地的枪支店，寻找卖这把枪的人。但是查了好久也没有结果，行凶的那把枪极可能是凶手偷来的或是非法购买的。

弹道专家又去考察死者曾坐过的椅子。他把一个和真人一样大的模型人放在轻便折叠椅上，在模型人和死者中弹的相应地方插上一根又长又细的木杆。

沿着木杆的角度延伸出去，弹道专家描绘出了子弹的运行线路，发现它是从西北方向射过来的。

完成这项工作后，他开始计算子弹飞行的距离。他知道鲁格公司生产的连发左轮手枪能射击到2.4千米以外的目标，但是，从死者伤口的深度推断，这颗子弹只是从450～640米远的距离外射出来的。这说明，凶手是从西北方向450～640米的地方开枪的。基于这一结论，警察们搜索了这一地区范围内所有的房子，终于找到了有决定性的线索。

在一幢房子外头，警察们发现了一个金属的油桶，上面有许多小洞。在油桶附近有一些子弹，桶上的小洞就是这些子弹射出来的。弹道专家用对比显微镜比较了其中一颗子弹与死者肺里的子弹，它们完全一样，这证明了它们是从同一把手枪中发射出来的。警察们坚信，枪的主人就住在这幢房子里，但是，在他们取得逮捕证之前必须弄清一件事：这颗子弹是不是直接从450～640米以外飞过去击中了死者？此地与死者之间隔着树和房子，那么它是怎么越过那么多树和房子打中死者的呢？

弹道专家判断这颗子弹是向上方飞去的，并画出了现场模拟图，描绘了子弹可能飞行的路线。这幅图显示了子弹确实可以跃过障碍物，直接击中目标（当子弹发射出去，它运行的轨道是条曲线）。

现在，警察们掌握了所有的证据，完全可以进入这幢房子搜查了。在房子里，他们发现了行凶武器，也揭开了这一谜案的真相。

凶案发生的当天，枪的主人把一只带柄的水壶摆在金属油桶上，向它瞄准，练习射击。打出了5发子弹之后，他把枪交给自己的女朋友，让她也瞄一瞄。但是，他的女朋友拿枪的时候手臂斜了一下，枪口举得过高了，射出的子弹偏离目标实在太远了，正好打中了倒霉的死者。他的死不像警察们起先想象的那样，是个经过深思熟虑的谋杀，而是极度巧合、极度令人遗憾的事故。

子弹壳

我们不仅能够从子弹头上看出它是从哪支枪里发射的，而且还能从子弹壳上找到线索，抓住坏人。

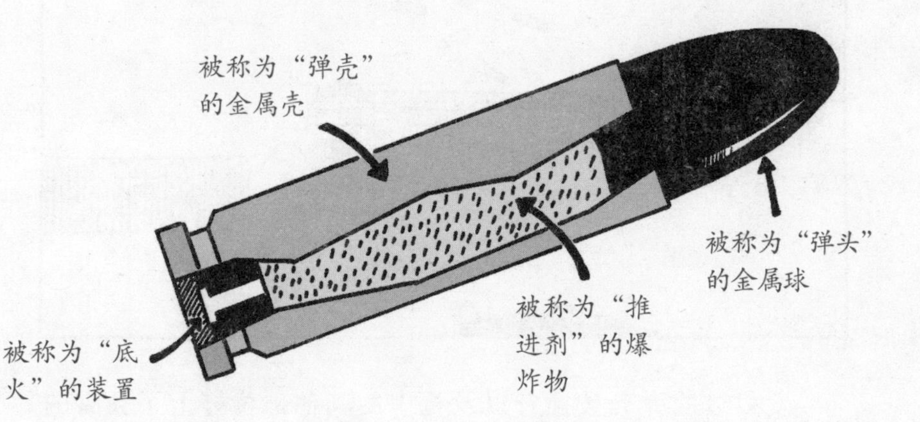

下面说说子弹是怎么发射的：

扳机被扣动时，枪内的撞针会撞击弹壳的底部，点燃底火，进而再点燃推进剂，推进剂燃烧时所产生的力把子弹推射出枪口。

左轮手枪的弹膛里可以装着多发子弹，发射完子弹后，再装填新的子弹。

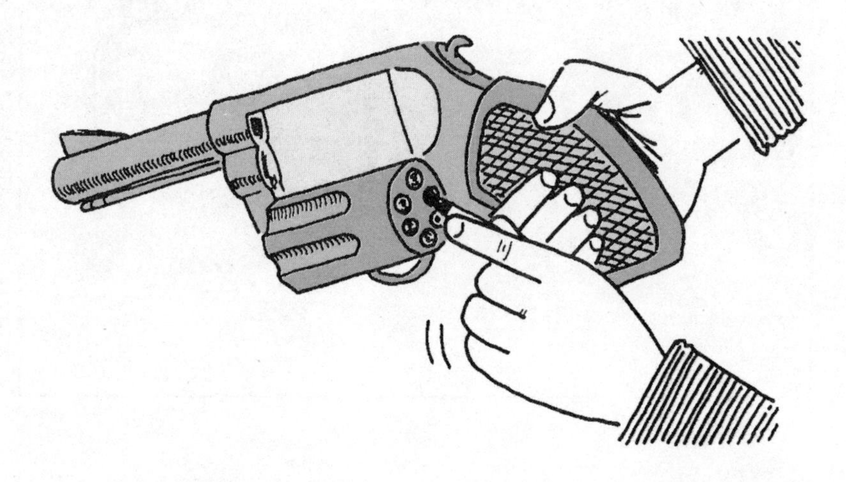

自动手枪在每次发射时，可以自动弹出子弹壳并推上新子弹（所以它叫自动手枪）。

发射过的弹壳被撞针以及枪内的其他部位打上了独有的印记。

这些印记可以帮助弹道专家发现这些弹壳是从哪种型号的枪里发射出来的。

神奇的IBIS

研究犯罪现场找到的子弹和嫌疑枪支是否相配是个细致的工作。假设你从现场找到子弹已经过了很长时间了，而嫌疑枪支却还是没有找到，那怎么办？有个叫IBIS的系统可以解决这个问题。IBIS代表的意思是“完整的弹道识别系统”。它是个与显微镜和两台微型摄像机相连的复杂的计算机系统。下面介绍一下它是怎么工作的：

1. 犯罪现场的子弹被放置在一个小摄像头下，从各个角度被拍摄下来。

2. 这颗子弹被高度放大的图像出现在电脑屏幕上。

3. 放大的图像被扫描进计算机，计算机会自动搜寻电脑资料库，看看有没有与之相同的记录。

4. 如果在资料库里找到与之相同的子弹记录，就证明发射这颗子弹的枪支曾经是被警察记录在案的，枪的主人曾犯下了至今未被破获的案子。

IBIS的长处在于，它能在极短的时间内把从很久以前到刚发生不久的各种案子里的子弹都比较一下。在不到1分钟的时间里，它就能把一颗可疑的子弹和资料库里几千颗子弹全部对比完毕。而这项工作要是靠人工来做，至少得花几年时间。

举起手来！谁动了我的枪？

你相信吗？有一种方法可以让你判断出某人在几小时之内是否开过枪。当一把手枪开火时，枪内微量的金属碎屑会在射击者的脸上、手上、头发上以及衣服上留下痕迹。如果这名嫌疑人能很快被抓获，就可以用羊毛织物蘸上弱酸性溶液，擦拭他的手，能擦下来黑色的火药渣子。遇到手中握枪的尸体时，这一检测方法对判断他是自杀还是他杀就显得十分有用了。

爆炸与炸弹

不用说，对我们一般人来讲，发生了爆炸绝对是件坏事儿。但是，当爆炸发生后，你应该好好动脑子想想，它到底是意外发生的（比如煤气爆炸），还是有人蓄意制造的（比如炸弹爆炸）。

碎片和炸弹

爆炸调查人员能通过研究现场的残骸判断出爆炸是由什么引起的。假设一辆小轿车爆炸了，爆炸产生的力使得轿车的碎片飞到了附近小屋的墙上。调查人员能够通过测量碎片插入墙体的深度来计算出碎片飞行的速度。如果碎片飞行的速度是每秒钟1000～8500米，那么这辆车一定是被爆破威力极大的TNT炸药炸毁的。

爆破专家用以查明真相的线索还包括：

▶ 爆炸点附近遗留物的特殊的燃烧点和熔点。

▶ 炸弹爆炸后留下的微量的粉末。

▶ 盛炸弹的容器的碎片。

你觉得上图这个人说的话对吗？正确答案是：不对。事实上，爆炸发生后，炸弹的许多碎片都会留在现场。1985年，美国佛罗里达州发生了一起汽车爆炸案，调查人员发现了极微小的金属管子的碎片，这个金属管子是用来装炸药的。他们还发现了两个破损的盖子，这两个盖子用来堵住金属管子，以使炸药不会外溢出来。幸运的是，每个盖子上还保留下了生产者的商标，这使得警察们很容易就顺着盖子的线索找到了卖它们的商店，又接着找到了购买它们的人。

破案纪实

1984年10月12日，英格兰布莱登的一家酒店发生了大爆炸，放置炸弹的人想暗杀正在酒店里的英国首相。但是，炸弹并没能伤到首相，却炸死了酒店里其他一些客人。从一名死者的身上，调查人员取到了一些只有针头大小的、不为人知的金属微粒。当研究犯罪的科学家们详察了这种金属微粒之后发现，它们本属于一块电子线路板。这提示科学家，炸弹是被电子计时器遥控引爆的。据研究，这个炸弹6个月前就已经放置在酒店里了。

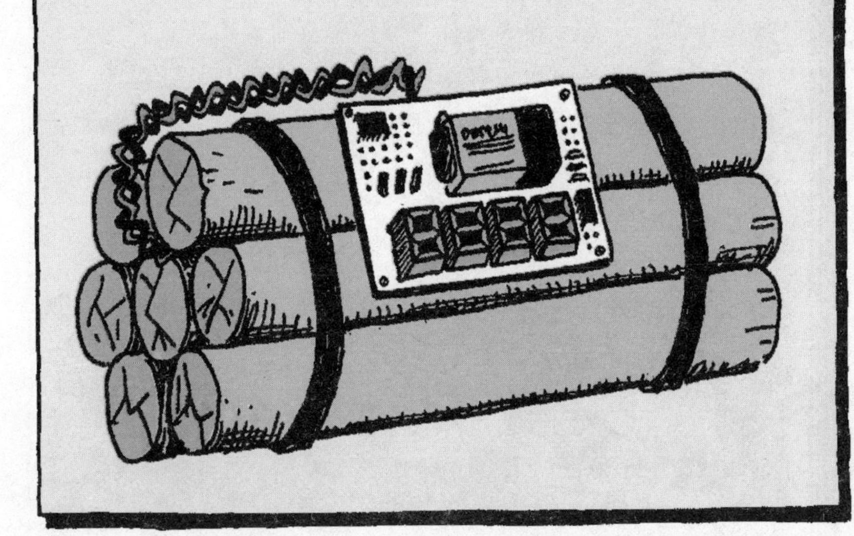

空中的爆炸案

在调查飞机爆炸案时，调查人员们必须精确地计算出爆炸发生在哪里，因为，如果能找到装炸弹的行李箱，也就意味着很快就能找到制造爆炸的元凶了。这种计算是非常困难的，调查洛克比空难的专家们就经历过这种困难。请看看，当时发生了什么：

犯罪实录

案例研究6：洛克比空难爆炸案

1988年12月21日，一架飞机正飞过苏格兰小镇洛克比的上空，突然，灾难降临了：飞在空中的飞机爆炸了，飞机的碎片冲向了地面，迸发出巨大的火球，270人瞬间殒命。

这次飞机坠毁事件的调查人员认定，飞机是被人蓄意用炸弹摧毁的，但是，他们必须确定爆炸发生的具体地点。所以，一支由调查人员和当地警察组成的队伍把飞机残骸（这些残骸碎片散落在苏格兰南部和英格兰北部的方圆845公里的大地上）凑到一起。在一座巨大的飞机制造厂房里，技术人员开始将飞机碎片尽量拼回原状，以试图找到它损毁的原因。

经过几个月之久的艰苦工作，大部分飞机碎片基本上被复原了，只有飞机前部的行李舱部分没有找到。由此，调查人员推断，爆炸极有可能是飞机前部行李舱里的某个旅行箱中放置的炸弹引起的。

经过对捡回来的行李箱碎片细致入微的检查，调查人员在一只行李箱的碎片上找到了微量的化学品。将它送至犯罪证据检验实验室检验后，科学家们发现，这些化学品是一种威力巨大的炸药的组成成分，那些臭名昭著的恐怖组织经常使用这种炸药。

调查人员们认定这个沾有炸药成分的行李箱就是装炸弹的容器，但是，怎么知道这只行李箱是属于谁的呢？

一部监视行李箱运送带的电脑，记录了这只行李箱在马耳他接受检查时的情形，其后，这只箱子就被送上了出事的飞机。但是，这部电脑没有记录下这只箱子的主人是谁。为了找到它的主人，调查人员仔细研究了几千片收集起来的现场残留纺织物的结构，他们从中又找到了一些含炸药成分很多的纺织物。很明显，这些纺织物离炸弹非常近，应该就是包在炸弹外头、防止它在箱子里振动的。

这些纺织物中有一件婴儿连身裤，它上面还印有马耳他一家商店的标签。

警察们到马耳他的这家商店调查时，店主说他清楚地记得曾有位特殊的顾客买了件连身裤和其他衣服。他之所以记得这么清楚，是因为这位顾客根本不关心这些衣服的尺寸就买下了它们。

这名顾客很快就成了犯罪嫌疑人，并最终被捕。经过审讯，法庭认为他制造了这起重大的爆炸案，并最终判定他有罪。

笔迹鉴定

你知道吗？在成长的过程中，你的笔迹不是一成不变的，它将变得越来越成熟。当你有一天长大成人了，你那逐渐成熟了的笔迹就会大致保持不变，而且这种笔迹会保持到老。所有成年人的笔迹都有自己独特的风格，这一特性可以用于区别不同的人。人们的笔迹之所以会不同，有一个重要原因是每一个字的笔画都有许多不同的写法。你可以看看下面这两张纸条里的“a”“B”“p”三个字母在写法上有什么不同。

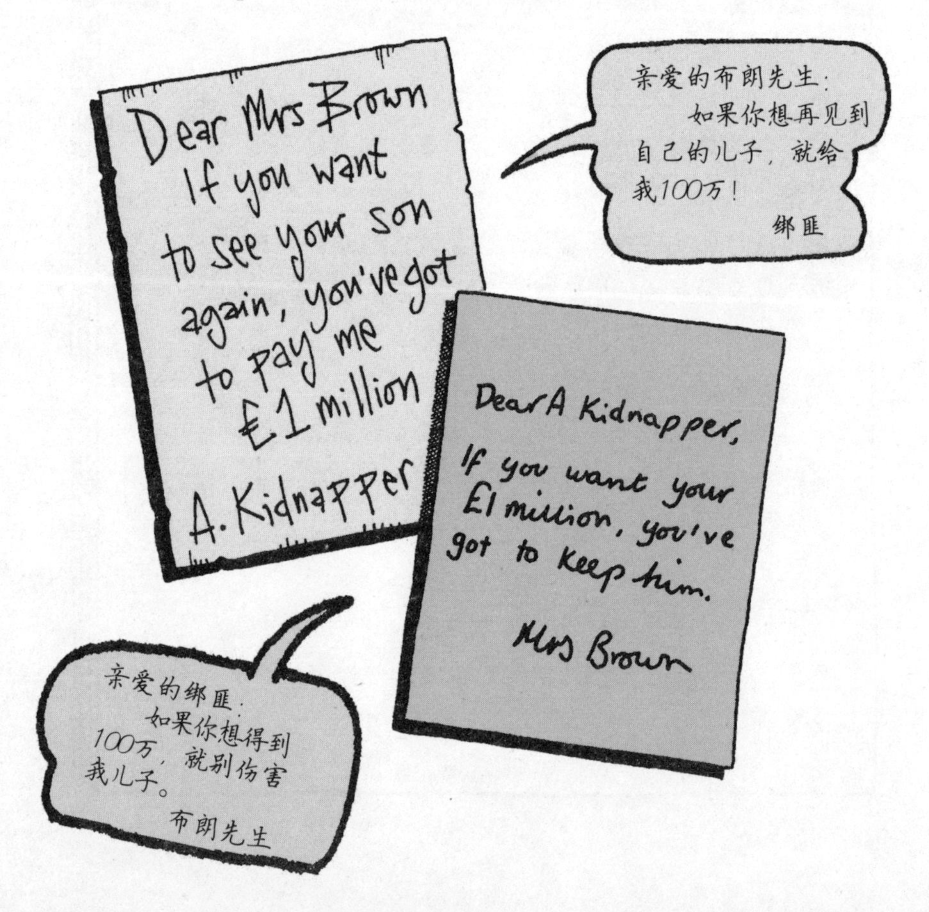

谁写了这张字条？

有些人专门受训来鉴别人的笔迹，尤其是检查证件的人，必须能看出来文件上的笔迹是真是假。绑匪在写赎金条的时候，肯定会伪装自己的笔迹，让人看不出来这是他写的。在比较绑匪字条上的笔迹和嫌疑人真正的笔迹时，那些笔迹鉴定专家会找出这两种笔迹的相似部分，这可以证明两种笔迹是一个人写成的。他们在分析笔迹异同的时候，主要考查的是字的倾斜度、长度、笔画或字的间架结构以及每一个笔画起笔和收笔的位置等等。真实的笔迹写出来的每一个笔画都是连贯的、光滑的，伪装的笔迹往往显得呆板、笨拙，起笔和收笔处都显得生硬、不连贯。用伪装的笔迹先后写的同一个字，也往往不一样。在笔迹鉴别专家看来，以上这些规律可以帮他判断出哪些是可疑的笔迹。

警告：笔迹鉴定专家还能判断出某人是不是模仿了其他人的笔迹，所以，下回再想模仿爸爸妈妈的笔迹给自己写病假条时可得小心了。

调查墨水

认真检查用来写文件的墨水也能帮助人们判断笔迹是不是伪造出来的。

假设有这么一种情况，你写了一张1元的支票给朋友，用的是黑色的墨水，有个大骗子在“1”字后面加上一长串的“0”，用的是另一种黑色的墨水。

把这张支票送到犯罪证据检验实验室，笔迹鉴定专家能够证明支票上的数字是用不同的墨水写的。他们把支票放到红外线和蓝绿色光线下照射，在这种特殊的光线下，墨水中的某些染料成分会反射红外线，其他染料成分则会吸收红外线。由于这两种墨水的染料成分不会完全相同，所以被每种墨水的染料反射的红外线的数量也不会相同，这就证明了书写这张支票用了两种不同的墨水。

即使有人用了和你是同一厂家生产的墨水来更改支票上的钱数，那也不用怕，因为他用的墨水不太可能跟你的是同一批生产出来的，用上述的方法还是能区别出这两种墨水。

破案纪实

和银行的支票一样，许多官方文件上也有防伪标记，这些标记只在紫外线下才能被肉眼看见。在紫外线下，这些标记会发出荧光，就像咱们的夜光手表在黑暗中发光一样。

薄层色谱法营救

还记得薄层色谱法吗？我们简称它为TLC法（如果不记得了，就翻到第33页看看）。如果笔迹辨定专家从可疑笔迹上取到一滴墨水，就可以用TLC法来分离它的化学成分。一旦了解到它的成分是什么，就可把它跟其他已知的墨水成分做比较，以找到成分相匹配的墨水。为了便于对比墨水的成分，美国专门成立了国际墨水图书馆，那里可以提供关于几千种墨水的各项信息。

魔术笔迹

你注意过吗？当自己用力在纸上写字时，字迹的印会印到下面的好几张纸上，只是这种字迹用肉眼看不清楚。有一种装置叫静电探测器，我们简称它为ESDA装置，它可以使这种模模糊糊的字迹印显示出来。让我们看看ESDA装置是怎么工作的：

1. 把带有字迹印的纸张放在ESDA的顶部，通过一部小空气泵抽去中间的空气，将纸张牢牢地吸在那里。接下来，用一片薄薄的塑料片从头到尾紧压过这张纸。

2. 经过这种摩擦之后，纸张产生了静电电荷，这些电荷都聚集在纸上的有字迹印的地方。

3. 接下来在这张纸上覆盖一层黑色墨水，字迹处就会沾上墨水。这样，这些原本模模糊糊的字迹就会变成黑字显示出来了。

ESDA还能用于显示整张纸从本子上被撕下来后，上面的字迹是否又被改动过。如果ESDA检测后显示出原文和带有字迹印的纸张上的文字不同，那就说明原文中的文字后来又被人改动过了。

骗人的日记

笔迹鉴定专家总能揭露一些骗局，其中最离谱的就是阿道夫·希特勒日记骗局（你应该知道，阿道夫·希特勒是个嘴上留着小黑胡子、戴着假发的德国人，就是这家伙挑起了第二次世界大战）。

1981年，当时的一家期刊公司宣称，他们有个本世纪最伟大的发现：阿道夫·希特勒的私人日记被找到了。

全球的出版商们都迫不及待地要得到这本日记，他们纷纷叫出惊人的高价，争着要独家在全球出版这本日记。

但是，1983年，这本日记被证实是伪造出来的。

笔迹鉴定专家把这本日记放到紫外线下观察后发现，这本日记的纸含有一种特别的漂白材料，这种材料是在1945年希特勒死后才用于造纸的。他们还发现，这本日记的装订也使用了现代材料，而且写日记用的墨水在希特勒时代还没有被广泛使用。

原来，这个“本世纪最伟大的发现”其实是20世纪最大的骗局。

尸检线索

死人不会说话，但他们的尸体能“说出”自己是什么时候死的，怎么死的。哪怕整个尸体就剩下了骨头，警察们也能判断出他是谁，被谁杀了。

死亡时间

有一种法医就是专门检验尸体的科研人员，他们对那些非正常死亡的尸体进行检验，以判断出他们是怎么死的，死去多长时间了。知道被害人死亡的大致时间在破案的过程中是至关重要的一步，因为这样就可以排除一些人的嫌疑，而把怀疑目标范围缩小。如果乔·布洛格能证明自己在死者被害时根本没在现场，那么他就不会被抓了，但是，如果他证明不了这一点，那么他就成了嫌疑犯了。

从体温推论

被害人死后，尸体会发生一些奇特的变化，这些变化包括：肌肉变硬、体温下降*。为了估算死亡时间，法医必须对所有这些奇特变化都仔细研究。

让我们先从体温下降开始说起。你知道吗？一个活人的正常体温应该是36℃～37℃。在气候不热也不冷的国家，比如英国，人死后的体温平均每小时降低1℃。如果在被害人死后的12～18个小时内，法医就接触到尸体，他可以通过测量尸体的体温，来推断死者的死亡时间。这听上去很简单，但在实际操作中，法医们还得考虑许多外部因素对体温下降速度的影响。比如，尸体所在地点的气温、尸体的胖瘦（胖子的体温下降速度比瘦子慢）等等因素。

在给尸体测量体温时，法医在尸体的肋骨处划一条小口，把一个特殊的体温计插入伤口里（方法一），或是把特殊的体温计放入死者的肛门里（方法二）。

僵尸

通常我们提到尸体时爱用僵尸这种说法。这是因为，在人死后，他的肌肉就会完全放松下来，然后变硬。这个变硬的过程从脸部开始，而后经过12个小时左右发展到全身。

* 在极端的气候条件下，比如说在澳大利亚的中部，人死后体温反而有可能升高。

在那些气候既不太冷也不太热的国家里，僵硬的尸体在死后36～48个小时之后又会逐渐变软（在炎热的地方，变软过程会较快一些。在寒冷的地方，尸体变硬的过程会较快，而变软的过程会较慢）。法医们可以根据尸体的软硬程度判断死者的死亡时间。而且，尸体何时变硬、何时变软会受很多其他条件的影响，比如周围环境的气温等，所以法医会把这些因素综合起来考虑。

由于死者被杀时间经常会被杀人犯伪造，所以警察们往往需要根据法医找到的证据再进一步去寻找新的破案线索。

自己动手找出凶杀的准确时间

现在是凌晨2点，你正在一个凶杀现场做调查。死者是被铁锤击中脑袋后死亡的。正当你准备向法医寻问死者的大致死亡时间的时候，你忽然发现，在现场有一些蛛丝马迹能够说明他的被杀时间。

你能断定死者是何时被杀的吗？

12月
3日

答案

死亡时间大约在晚上10：30左右——时间显示在死者被损坏而停止运行的手表上。这块表可能在被害人反抗或是用手保护头部的时候被击中（停止运行了）。

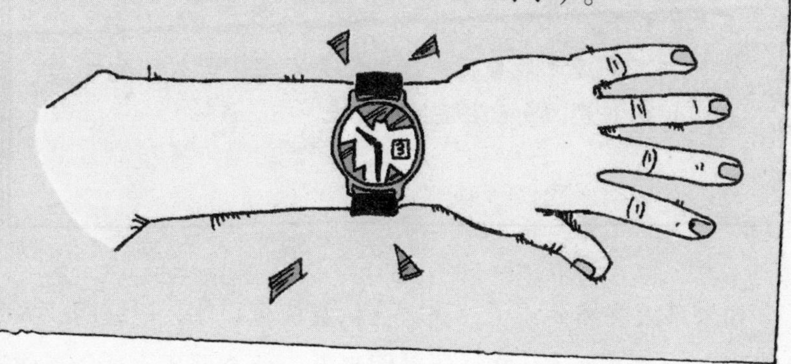

死亡原因

你不用问法医也能知道死者是死于意外还是被人杀害。但是，这不意味着你能轻易地判断出谋杀是否发生过。看看卡西·克莱克特档案里的报告又有些什么新鲜案子吧。

卡西·克莱克特档案

案件：吉布·卡什之死

报告编号：1

吉布·卡什这个人没有丝毫的魅力。所以，当接到他被杀的电话时，我有些无动于衷。但是，我还是赶到了犯罪现场。

在楼梯底部，吉布脸朝下，四肢伸开趴在那里。

吉布的死因目前还不是很清楚。他可能是从楼梯上滚下来意外摔死的，也可能是被人推下来的。或许，他是被人在别处害死，然后拖到这里来，伪装成从楼上滚下来的样子。

只有法医才能告诉我这里究竟发生了什么。所以，我回到办公室，等着法医送报告来。

如果某人突然死亡了，法医会认真检查尸体，以证明此人是自然死亡、意外事故死亡，还是因自杀、他杀而死。这一工作过程叫作“尸检”。

破案技巧入门

怎样做尸检

B.D.博恩

要记住，在尸检的过程中要记笔记，还要对所发现的东西进行拍照。

1. 穿戴上防护服和口罩。
2. 仔细观察尸体的外观，特

别要关注擦伤、针头刺伤等伤口，胳膊和手上的伤口也许能显示死者被害时曾对杀人者进行反抗。

3. 测量尸体的重量及长度。

4. 剖开死者的身体，将肺、心脏、大脑和肝脏等器官取出来，对这些器官一一进行检查，仔细找出可疑之处。

5. 取出胃里的东西，送到实验室做进一步化验。

6. 收集皮肤、头发、血液以及身体其他组织的样品，将它们送至实验室做进一步化验。

7. 最后，把取出来的东西都放回原处，缝合尸体。

8. 吃午饭——如果你还吃得下的话。

作为一名优秀的法医，就像我一样，能通过尸检推断出很多事情，比如：

证据	结论
1. 尸体是从火中拖出来的，肺里却没有烟。	此人应该在进入火中之前就死了（烟通过呼吸才能进入到肺里）。凶手点火是为了毁尸灭迹。
2. 嘴里和鼻子里有小泡沫，肺和肾里面还有大量水中生物——硅藻。	死者是溺水死亡的（大量的硅藻随着呼吸进入体内）。如果肺里只有少量的硅藻，说明被害人被投入水中之前就已经死了。
3. 在显微镜下观察，伤口的边缘能看到一些血液中的白细胞。	这些伤口是死者还活着的时候造成的（白细胞冲到伤口处与入侵的细菌搏斗）。如果伤口周围没有白细胞，就说明伤口是被害人死后弄出来的。心脏停跳后，不再向全身供血，伤口处就不会有白细胞了。

证据

4. 尸体上散发出苦杏仁味。尸体的底部有亮粉色的斑点。

结论

被害人是被氰化物毒死的。死后，被害人的血液向身体底部下沉，最后渗出血管，淤积在周围的组织里，形成了紫色的斑点。如果这种斑点呈现为不一般的色彩，毒药就可能是致死原因。

5. 头皮受到伤害，头盖骨有断裂伤，受损伤的大脑组织就在这些断裂伤下面。

死者被人用硬物击打过头部（如果死者是从高处落下碰伤了头部，受损伤的大脑组织会在与头盖骨断裂处相对应的头部的另外一侧）。

6. 喉咙周围有淤血，脖子上有一圈凹痕。

死者是被领带、线绳、皮带之类的东西勒死的。

卡西·克莱克特档案

案件：吉布·卡什之死

报告编号：2

法医病理学家做事总是干脆果断。

“吉布·卡什是被人用手掐死的。”他一边说一边把验尸报告放在我桌上，接着走向门边。

“哦，请等一下，医生。”在他已经走到走廊时，我叫住了他，“你能肯定吗？”

“当然。”他大声嚷道，脚下仍在移动着，“一块特定的骨头和颈部的软骨都碎了，在他的喉咙上有一个手形的伤痕——这都表明有用手勒的迹象。”

“可是我并没有看到脖子上有什么勒印。”我大声说道，迅速向他跑过去。

“那是因为在这个特殊的案件里，勒痕藏在皮肤底下的肉上，而不是在皮上。”

突然，法医停了下来，拿着一张照片，上边是一个被割开的脖子。在皮肤底下的肉上，我可以看见很深的紫色手痕。也许，通常情况下所能见到的脖子皮肤上的手痕已经消退了，所以从表面上是看不见的。

“吉布的尸体曾经被搬动过吗？”我问道，同时慢慢地调整呼吸。

“很可能被动过，他的尸体被发现的时候是面朝下的，后背却有一块紫斑。”

我茫然地看了看法医。

“你还记得人死后尸体的最低处会有一些紫斑吗？过一会儿紫斑就会凝固下来。换句话说就是，如果是躺着死的，紫斑就会在背部；但是如果你发现一个人是趴着死的，而紫斑却在背上……”

“……那就说明这个人死后尸体曾经被移动过。”

“就是这样。”法医捅了我一下。

说完话，法医就跑开了。这时我才觉得肋骨被他捅得有点疼。看来这个案子必须赶紧破了。

确定尸体身份

杀人者伪造现场，使得案子看起来像一次事故，这种做法比较冒险，破坏尸体以掩盖犯罪同样如此。下面是几个臭名昭著的杀人者掩盖犯罪事实常用的几种方法，在所有的案件里，被害人身份都被确认下来，而最终凶手也都被缉拿归案。

· 约翰 · 韦伯斯特教授
· 1849年出生于美国马萨诸塞州
· 他用实验室里的烤箱将被害人尸体焚烧

· 约翰 · 海
· 1949年出生于英国萨西克斯郡
· 他将被害人尸体放在一个装有酸性物质的缸里溶解了

· 伊塞 · 萨加瓦
· 1981年出生于法国巴黎
· 他把被害人尸体的一部分吃掉了，剩余部分装在两个箱子里

· 丹尼斯 · 尼尔森
· 1983年出生于英国伦敦
· 他将被害人尸体肢解，尸体的很多部位都被他放在锅里煮化了

确认尸体身份并不像你想的跟抓罪犯似的那么酷，尽管它是犯罪调查的一个重要组成部分，因为尸体身份能否确定直接关系到能否抓住罪犯，即使被害人只剩下一副骨架，专家也能够据此推断出他的身份，比如：

▶ 根据骨盆的大小和形状能判断出一个人的性别，男人的骨盆要比女人的窄得多。

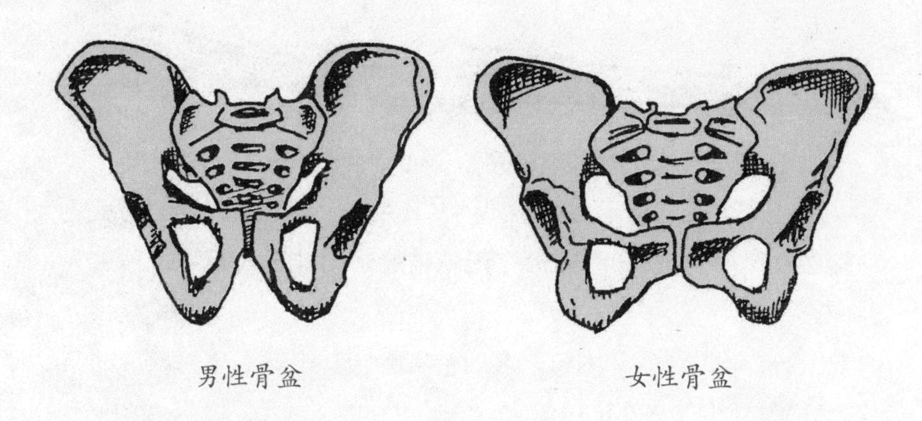

男性骨盆　　　　女性骨盆

▶ 眼眶和鼻孔的形状能够提示出人所属的种族。欧洲人的鼻孔顶端一般比较窄，而非洲人和亚洲人则要宽一些。

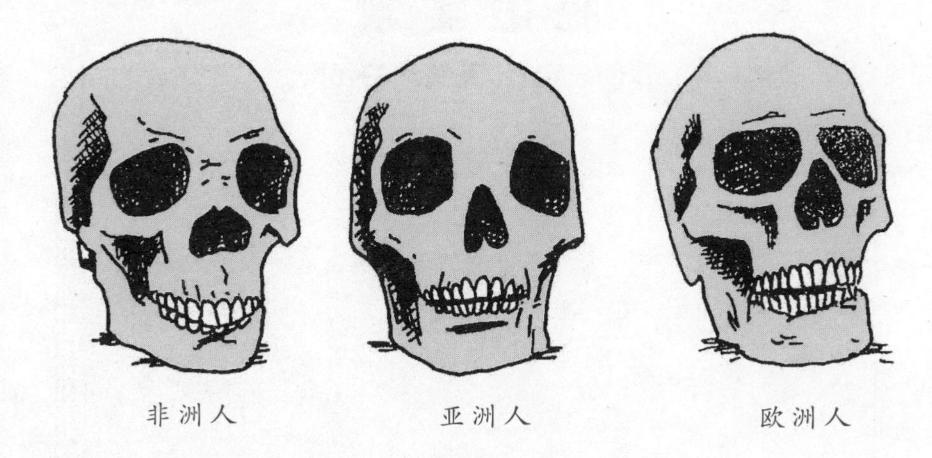

非洲人　　　　亚洲人　　　　欧洲人

▶ 根据臂骨和腿骨的长度能够测算出死者的身高，四肢的长度和身高是有关系的。

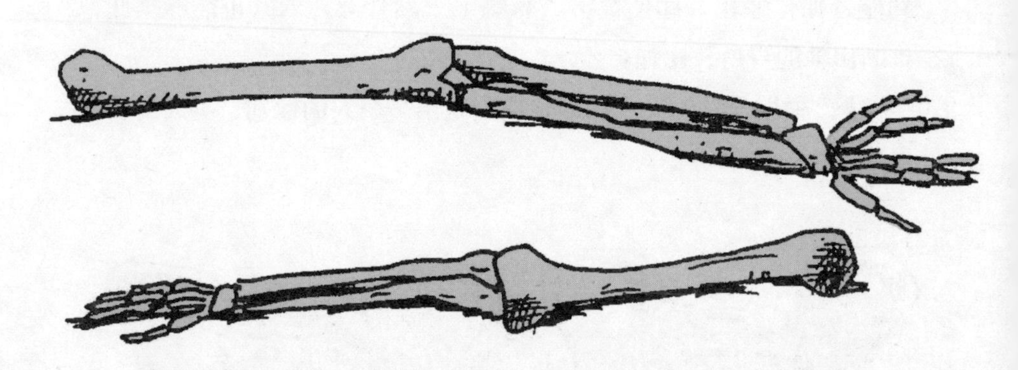

▶ 牙齿能够提示人的年龄，尤其是当人很年轻就死了时就更好判断了。有时候牙医的治疗记录也能帮助破案人员确认被害人身份。

1935年曾发生了一起著名的杀人案，其中就需要对尸体的某些部位和骨头进行鉴定。

犯罪实录

案例研究7：无头尸的秘密

1935年9月29日，一位女士正在苏格兰的一条河边散步，发现有几个包裹被水冲到了岸边。让她感到害怕的是，她发现其中一个包裹里竟然是一条长满蛆虫的人的手臂。后来人们又在河里和岸上进行了进一步的搜查，陆续发现了其他一些人体器官，包括两个面目全非的人头。要

想确认这些被肢解的尸体的身份或是找到死者的家庭住址真是一件很棘手的事。于是这些器官被送到了病理学家那里，他们很肯定地认为这些器官是两个人身上的。这些七零八落的器官被拼成了两个人形，经过对骨头的仔细研究后，病理学家们发现，其中一个死者是女性，年龄大约为20岁，另一个也是女性，年龄在35岁至45岁之间。

与此同时，警察也在侦查此案。他们发现，有一个器官是用9月15日出版的报纸包上的，这说明尸体是在那天或稍后一两天被扔掉的，还有一个器官也是用这天的报纸包上的，这张报纸是当地出版的，只在位于英国南部莫尔坎比和兰开斯特市出售，而这些器官正是在那儿附近发现的。

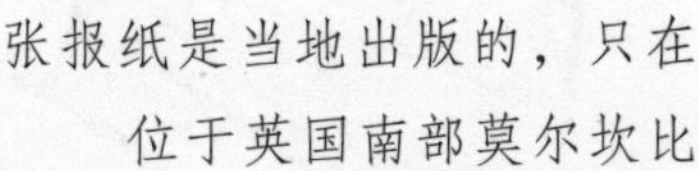

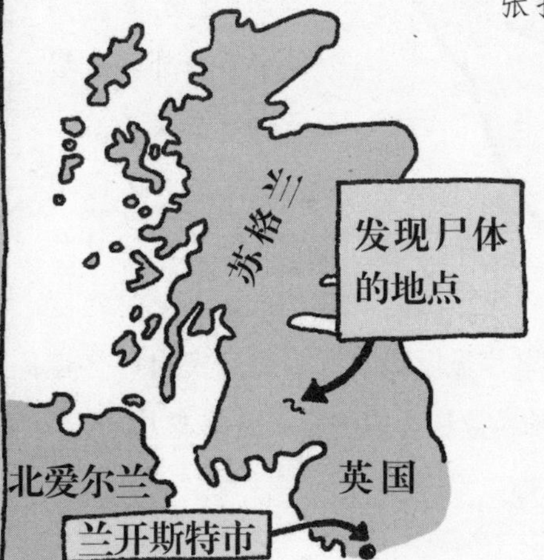

在调查过程中，警察偶然发

现，就在兰开斯特市附近有两位妇女同时失踪，一个是叫玛丽·珍·罗戈森的年约20岁的少女，另一个是玛丽34岁的老板伊莎贝拉·鲁丝腾女士。

现在，法医的任务就是确认这些器官是否属于这两位女士。他们了解到，玛丽的胳膊上有一个胎记，大拇指上和腹部各有一个伤疤，但在尸体上却找不到这些特征的任何痕迹。很快他们就发现，这些特征所在部位的皮肤被人刮掉了，这说明凶手知道这些特征可能暴露尸体的身份，所以将它们抹去了。

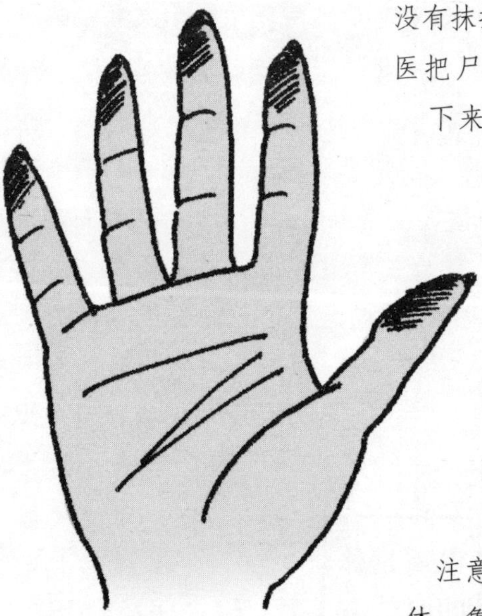

但是有一样东西凶手没有抹掉，那就是指纹。法医把尸体手上的指纹提取下来，与玛丽·珍·罗戈森的指纹进行了对照，发现两者完全吻合，这样其中一具尸体的身份就能够确定了，那就是玛丽·珍·罗戈森。

这样，法医们把注意力转向了第二具尸体。鲁丝腾女士生前的照片显示她有一副特别突出的牙齿和一个大鼻子，但这两个很容易辨认的特征都被罪犯从尸体上销毁了，指纹也被破坏了。

这就迫使法医们另辟蹊径来确认死者的身份。

他们把第二具尸体的头盖骨的底片与鲁丝腾女士的头部照片叠放在一起，结果发现两者十分一致（现在用摄像机就能够做到），毫无疑问，第二具尸体就是鲁丝腾的。

把尸体的头盖骨照片与失踪的鲁丝腾女士的头盖骨照片叠放在一起

接下来就该提示两人的死亡原因了。由于玛丽的尸体破坏严重，已经无从判断她的死因。但是经过对鲁丝腾的尸体进行一番仔细的检查后发现，她的颈部有一块骨头和两处软骨断裂了——这很明显是被人勒死的。

可是凶手是谁呢？

警察搜查了鲁丝腾女士和她的医生丈夫的住所，在下水道里发现了一点人身上的脂肪。他们还发现了大量的血迹，虽然经过擦洗，也仍然能够看出来。于是警察据此判断，凶手是一个懂得医学的人，这个人就是鲁丝腾医生。1935年11月5日，鲁丝腾医生被判处绞刑，临死前他供认，是他在一怒之下杀死了妻子，他还承认自己勒死了玛丽，因为她看见了自己的杀妻过程。

苍蝇确定时间

鲁丝腾杀人案之所以在圈内特别有名，是因为这是第一件运用昆虫来确定死者死亡时间的案例。

小小的苍蝇用不了多长时间就能闻到尸体的气味，并且在尸体上产下很多卵*。这些卵会在12～15个小时后孵化出来变成蛆虫，很快就开始吃腐肉。蠕动的蛆越长越大，在正式成为苍蝇之前会成为一个蜷曲的蛹。从虫卵变成蛆虫再变成成熟的苍蝇所需的时间是大家都知道的，这就意味着昆虫学家能够分析出尸体上最大的蛆虫正处在哪个阶段，然后倒推出卵是什么时候产下的，据此就能够估算出死亡时间。

蛆虫成长的速度会随着周围环境的气温而变化，所以昆虫学家会把一个气温记录仪放在凶杀现场至少一个星期，仪器会自动记录蛆虫所处环境气温的变化。

* 如果你刚吃完或是正在吃饭，最好过一会儿再读这部分。如果你刚把吃下的东西吐完，那你就可以接着读下去了。

昆虫学家掌握了蛆虫所经历的温度变化后，就能在几个小时之内推算出它们的年龄。

破案纪实

2002年，一家美国公司开始销售一种可以注射入人的胳膊的微型小片，这种小片记录着人的身份。每个小片上都储存着一个号码，通过掌上电子扫描仪就能够读出来，这个号码能够在一个安全数据库里存取有关个人的信息。有了这个小片，就很容易识别各种各样人的身份了，包括事故中的遇难者、凶杀案中的受害者，哪怕他们远离熟悉他们的家乡人。

致命的药剂

历史上大多数投毒者，在杀害自己的最亲密、最知心的朋友时都心存侥幸，认为他们不可能被抓住，因为毒物很难被查出来。那些被查出来的投毒者通常情况下都只能责怪自己，因为他们有时候实在是粗心大意，比如有时候向一些碎嘴子透露实情。下面就以英国萨默塞特郡的弗朗西斯·霍华德女伯爵为例来说明这个问题：

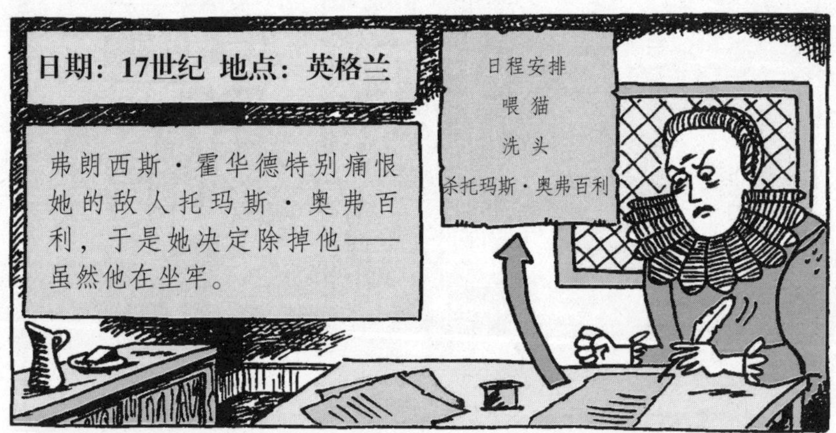

不想善罢甘休的弗朗西斯又贿赂监狱医生的助手，让他把毒药当药品发给托玛斯。

这一回她的计划成功了，托玛斯两眼一闭，没有人对他的死产生任何怀疑，直到……

一天，这个医生助手患了肾结石，自己觉得活不长了，于是就把自己的犯罪秘密说了出来。

突然之间，弗朗西斯的一切都完了。

她的犯罪生涯从此到了尽头！

所幸的是，投毒者能够心存侥幸逃脱惩罚的时代已经结束了，现代毒药专家（又叫毒物学家）很快就能找到毒物线索，他们通过检测被害人的血液（或小便以及身体其他部位）就能够知道里面是否含有毒药，如果含毒，含的又是什么毒。即使受害人身体里只有极微小的痕迹，他们也能够识别出毒物来。简而言之，现在用毒药杀人的犯罪方法已经很少用了，因为它不像以前那样难以被人察觉。你只要仔细看看下面教给初学者的破案知识，就能了解到现代反投毒的科学手段。

破案技巧入门

如何从身体中提取有毒物质

贾丝汀·加西里

1. 找一个你认为中了毒的人，中毒特征包括：

- 胃疼
- 全身发抖
- 感觉恶心
- 像得了大病
- 腹泻
- 便秘
- 虚脱
- 死亡

2. 要一份死者的血样，把血倒在试管里，向血里添加一种叫萃取溶剂的特殊液体，然后在试管口塞入一个塞子。

3. 把试管放在微型高速离心机中，打开离心机（离心机就是为了分离不同密度的物质而高速转动的机器）。

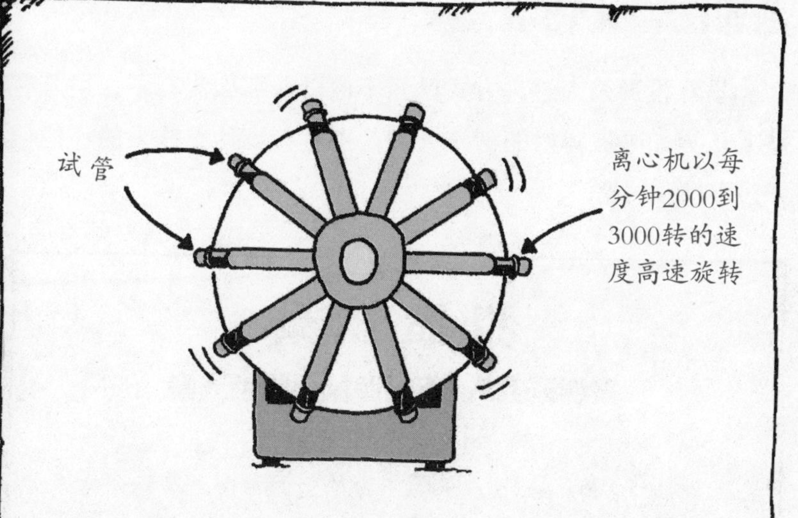

4. 离心机转动时，萃取溶剂会吸收那些本不属于血液的东西，如毒素，并且升至试管的顶部，相对重一些的血则沉到底部。

5. 检测溶剂看它含有哪种毒物，通常情况下，毒物学家们在鉴定一种未知的毒物时，首先会对它进行成分分析，看它含有哪些物质。为了做到这点，他们运用了不同的科学技术，包括薄层色谱法（见第33页）。

西雅图氰化物杀人案

虽然投毒杀人这种方式已经不像以前那么流行了，但总有一些人认为如果做得妙的话，人们是不会找到什么线索的，他们应该可以逃脱惩罚。

犯罪实录

案例研究8：西雅图氰化物杀人案

1986年6月11日，美国华盛顿州西雅图，有一个女人因为头部剧痛而从梦中醒来，于是她服了两片叫依克塞德林的止疼胶囊，几个小时后她死去了。

后来毒物学家化验了胶囊里的粉末，发现里面竟含有氰化物。他们又化验了死者的血液，结果发现血液里也有氰化物。看来是有人精心策划了这个案子，作案人先把胶囊打开，把里面的粉末倒在一个碗里，向里面加了一些氰化物，然后把这些混合物又装回胶囊里去。

为了安全起见，全美国有几千瓶依克塞德林胶囊被从药店的货架上取下来接受检查，看这些药里面是否也含有氰化物。这次检查发现了两个有毒的瓶子——这两瓶是在西雅图的药店里发现的。

6月17日，警察局接到了西雅图一个叫史黛拉·尼克尔的老奶奶打来的电话，声称她丈夫布鲁斯在服了两片依克塞德林胶囊后于11天前去世了。通过化验布鲁斯的血样，人们发现里面含有氰化物，在尼克尔家发现的两瓶依克塞德林胶囊也含有氰化物。

这个案子的一切都似乎说明有人改变了药品的成分。起初警察怀疑这是一个恐怖分子，一个疯子，或是仇视依克塞德林公司的人干的，但奇怪的是，没有人打电话声称对这件事负责，或是要求制药公司付出大笔的钱来平息这场篡改药品成分的恶作剧。

与此同时，一个在美国联邦调查局犯罪实验室工作的化学家有了一个惊人的发现：所有掺有氰化物的胶囊都含有一些绿色的类似于结晶体的微粒，把这些绿色的微粒放在一个非常复杂的机器（即大光谱仪）下进行分析，发现微粒是由四种普通化学物质构成的。接着，他们用一套计算机程序将几千种产品的化学成分全部列了出来，然后查明了这四种化学成分组合在一起能够构成一种杀死鱼塘里海藻的物质，而且只有一种杀藻剂含有这四种成分，叫“海藻破坏者”。从表面上看来，好像是投毒者将药粉和氰化物掺在一起，把它们倒在一个曾经用来碾碎“海藻破坏者”药片的碗里。

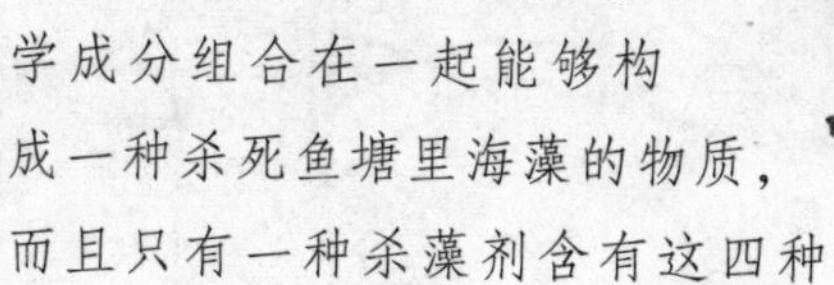

紧接着他们又有一个新发现：史黛拉·尼克尔家里有一个鱼塘，她最近刚好买了一些“海藻破坏者”（警察找到一个宠物店主证明她曾经到店里买过除藻剂）。现在所有的嫌疑都集中到了史黛拉身上，而且接下来又发现了一些对她不利的证据。

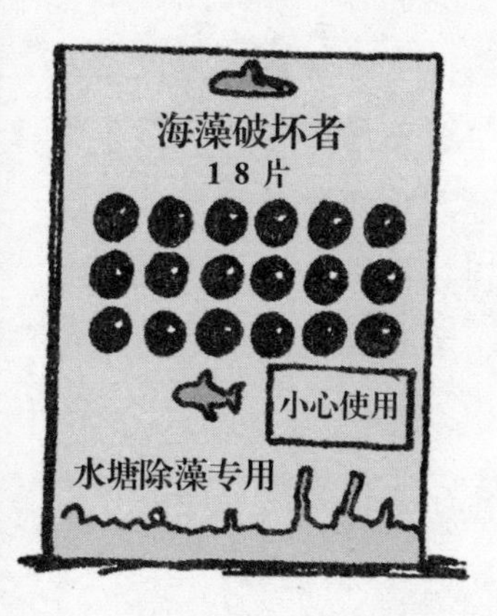

警察了解到，史黛拉在丈夫去世前曾经从一家图书馆借了一些关于人中毒的书，指纹专家在实验室里检测了其中一本书上的指纹，发现有80多处都与史黛拉的指纹吻合，而且大部分指纹所在的章节恰好都是有关氰化物的。

布鲁斯·尼克尔还有一份人寿保险单，根据保险单的规定，如果他由于吃混合药物意外死亡，史黛拉就可以得到一大笔钱。史黛拉的女儿也证实说，母亲经常说要杀掉布鲁斯。

现在警方断定他们已经完全知道了犯罪过程：正是史黛拉把染过毒药的装依克塞德林的药瓶放在各个不同的药店里，使得她的丈夫表面上看起来是由于吃这种药才意外死亡的。她之所以跟警察说布鲁斯的死因是吃药死亡，是因为给布鲁斯做尸检的医生错误地认为他是因肺病自然死亡的。这显然是史黛拉所不愿听到的，因为根据保险单的规定，布鲁斯只有意外死于药物她才有可能拿到保险金，所以她需要由警察出面证明布鲁斯是因为中毒才意外死亡的，可是她没有想到，警察最后证明的是布鲁斯死于投毒谋杀。

1988年5月9日，史黛拉·尼克尔因故意杀人罪而被判入狱。

毒药的种类

如果你以为毒药就是一些能置人于死地的粉末，那就大错特错了。对毒物学家们来说，毒药是能够进入人体内造成人们受伤或死亡的任何形态的物质，换句话说，喝漂白剂可以使人中毒，吃下一整瓶阿司匹林也可使人中毒，饮酒过量、吸入过多的汽车尾气（一氧化碳）、燃气灶具漏气、大火所释放的浓烟等，都能使人中毒。

昨日犯罪今日知

现代测毒技术的一个重要作用就是可以用来破获过去的投毒案。以拿破仑·波拿巴（1769—1821）之死为例，多年以来，很多人都认为这位著名的法国皇帝是患癌症死的，但是根据现代法医和毒物学家的发现，这位伟人实际上是死于中毒。

一些毒药如砒霜，进入人的毛发、指甲后，能够在其中残留很长时间，即使中毒者被深埋地下，也不会将这些毒药清除掉。拿破仑死后，他忠心耿耿的仆人把他的头发割下来，作为祖传之物——一代一代地传了下来。通过检验其中一些毛发，现代破案人发现伟人实际上是死于砒霜中毒。

犯罪动机

犯罪原因是多种多样的，一些狡猾的人往往仅作过一次案，还有一些人则一次又一次地重复类似的犯罪行为，重复同一种犯罪行为的人叫惯犯。

抓住危险的惯犯

最危险的惯犯是连环杀手。一些受命抓捕危险惯犯的侦探，有时候会要求精神病学家和心理学家分析一下罪犯的性格（精神病学家就是那些接受专门训练来诊断和治疗精神病的人，心理学家是专门研究人的思想和行为的人）。要想分析出一个尚未抓获的嫌疑人的性格，精神病学家和心理学家必须进行大量的仔细观察和精密推测，他们还必须研究各种已得到的线索，找出被害人的背景，根据每个犯罪现场推测犯罪实施过程，然后综合运用所有发现，得出一个关于罪犯性格特征的描述。假如精神病学家怀疑这个还不知是谁的罪犯有精神病，他就能够依据一般人所患的特定的精神病推测出罪犯可能患的精神病特征。

当侦探们有了罪犯的性格特征描述后，他们会把罪犯的性格特征与有犯罪前科的罪犯或是有作案可能的嫌疑人做一个对比，以确定他们是否符合这些特征。

第一个被用这种方式抓住的臭名昭著的惯犯是一个绰号为“疯狂的爆炸者”的人——真是人如其名，这个人既是个疯子，又是个爆炸犯。下面就是他的犯罪过程：

犯罪实录

案例研究9：疯狂的爆炸者

1940年，纽约统一爱迪生电力公司（简称统爱公司）的一个大楼里发现了一枚未爆炸的炸弹，在不到一年的时间里，统爱公司大楼附近又发现一枚未爆炸的炸弹。第一枚炸弹上有一张字迹很工整的字条：“统爱公司的臭小子们，这个东西是送给你们的。”

不久，美国卷入了第二次世界大战，警察们接到了这个投弹者写来的一封字迹工整的信，说他（或她）在战争进行期间不会再放置炸弹了，但他（或她）会很快“依法惩处统爱公司——他们要为所做出的卑鄙的行径付出代价”。

“二战”期间，纽约市的各个地方都收到了类似的信。战争结束后，纽约市里出现了更多的炸弹，这回有很多都爆炸了，而且很多还附着信——字迹一般都打印得很工整，信上威胁说要报复统爱公司。

警察根本无从知道谁是这个凶恶的爆炸者，也不知道他（或她）与统爱公司有什么怨仇。所以到了1956年，警察不得不采取一个非常的举动：向精神病学家詹姆斯·布鲁塞尔博士咨询，要求他描述一下这个爆炸者的性格特征。下面就是布博士所下的一些结论：

性格特征	推测理由
爆炸者与统爱公司有仇，很可能是因为他被这个公司解雇了或处罚过。	从信的内容看，这种仇恨体现在了字里行间。

爆炸者是男性。

从历史上看，爆炸者一般没有女性。

爆炸者患有严重的精神病——偏执狂病。

偏执狂患者一般都长时间地胸怀仇恨，就像这个爆炸者对统爱公司所怀的仇恨一样。

爆炸者是个中年人，年纪在40岁至50岁之间。

偏执狂的形成期可长达10年，一般在35岁左右达到顶峰。1940年，如果这个爆炸者第一次投炸弹时是30岁左右，1956年就到了45岁左右了，就是在这时最后一枚也是威力最大的一枚炸弹爆炸了。

爆炸者喜欢整洁。

患有偏执狂的人一般都有强迫症，很爱整洁（从威胁信上工整的字迹和干净的纸面以及制作精良的炸弹可以很明显地看出来）。

爆炸者受过良好的教育，不是美国本土人，可能是个移民。

威胁信写得很好，没有什么拼写错误（这说明他受过教育），但语言比较中规中矩，很像是从另一种语言翻译成英语的。而且信中没有普通美国人常说的短语和俚语。

爆炸者是个斯拉夫人，也就是说他们家是从东欧或中欧移民到美国的，如波兰、捷克、塞尔维亚、保加利亚等国。

从历史上来看，东欧或中欧人要刺杀某人时常采用爆炸方式。

爆炸者是个罗马教徒。

大多数斯拉夫人都信罗马教。

爆炸者很可能居住在康涅狄格州，这个地方离纽约州的纽约市很近。

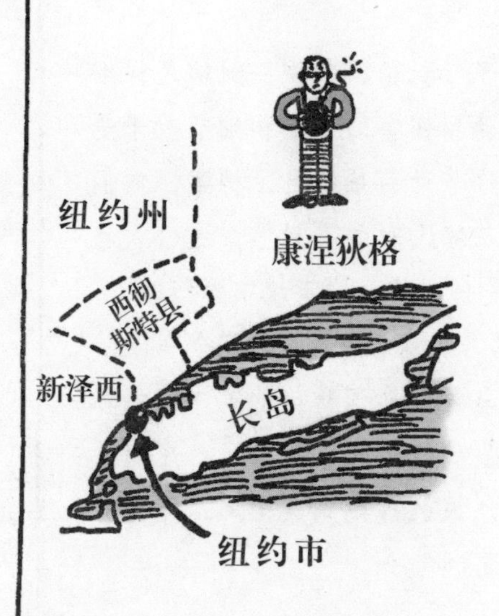

爆炸者写的一些信是从西彻斯特县发出来的（他还不至于蠢到从自己家所在的州发信吧），从康涅狄格到纽约市必须经过西彻斯特县，很多东欧和中欧人都居住在这个县。

爆炸者被捕时很可能会穿一件双排纽扣服装，而且扣子扣得很严。

爆炸者是一个整洁并且很传统的男人，20世纪50年代流行的最整洁、最传统的款式就是双排扣服装，而系上扣子最能体现双排扣服装干净利索的特点。

完成了爆炸者性格特征的轮廓勾画后，布博士建议把这些内容都登在报上，他预测这么做会使这个引起公众注意的人自己乱了阵脚。

正如布鲁塞尔博士所料。

很快这个爆炸者又发出了三封信，其中一封信还详细说明了他在统爱公司大楼里受到伤害的日期和细节。于是警方查看了统爱公司所有解除劳动关系的员工档案，他们发现了一个叫乔治·米得斯基的人写的一封信，这个人就是在爆炸者所说的那天在统爱公司的一次事故中受伤的。

而且这封信中所用的短语与爆炸者所使用的完全一样。

当警察在乔治·米得斯基位于康涅狄格的家中将他抓住时，他们发现这是一个54岁的干净利索的男子，患有严重的偏执狂病，他的家庭是从波兰移民到美国的，车库里装满了制造炸弹的设备。警察逮捕他时，他正好穿着一件双排扣上装，而且还扣上了扣子。

第六感侦探

据说，少数人有常人没有的无法用现代科技解释的“超能力”，这听起来非常怪异，他们偶尔也会介入到案件的侦破工作当中去。下面就是一个有“超能力”的人参与的让普通人无从入手的杀人案。

能读懂人思维的侦探

1928年7月9日，加拿大阿尔伯达省，一个名叫弗农·布赫的农夫回到家时，发现他妈妈和兄弟死在了农舍的地板上，厢房里还躺着两个农场工人的尸体，这四个人都是被0.3口径的来复枪所射杀，但现场并未发现凶器。

由于对这件案子感到特别棘手，警察局长请来了一位名叫马克西米林·朗纳的医生，据说此人能够读懂别人的心思。

朗纳医生听完了这位加拿大警察对案情的描述后，很快就说出了一句让人目瞪口呆的话：

“凶手就是弗农·布赫，凶器就藏在农舍的后面。”

“你敢肯定吗？”警察局长瞪圆了双眼问道。

“绝对没错。”医生很自信地回答道。为了证实他所说的，他把警察领到了农舍后边的一片草地上，在那里他们找到了杀人凶器。

“但是你有什么证据证明弗农就是凶手呢？”警察局长将信将疑地问道，“这把枪上可是一点指纹都没有啊。”

朗纳医生很沉着地答道：“我没有证据，但是如果你把弗农弄到一个密室里，我坐在密室外边，我就能告诉你他是怎么杀人的。”

局长答应了他的这一要求，朗纳医生就坐在弗农所在密室的外头，就这样医生在那里呆坐了很久，弗农和他都没有说一句话。

“那么你知道什么了？”警察局长再次见到朗纳时向他问道。

“弗农从邻居家偷了这支枪，然后把他妈给杀了。他认为他的兄弟和两个工人看见了他杀人的过程，所以把这几个人也给干掉了。”

确实有一家邻居的枪被盗，盗贼是趁邻居前一个星期天上教堂时偷走这支0.3口径的来复枪的。可是那天弗农也去了教堂，

他怎么可能偷枪呢？

“我发现了那天坐在教堂后排的一位长下巴小眼睛的矮女人，”朗纳医生说，“她看见弗农中间偷跑出去偷枪了。”

警察后来找到了朗纳医生描述的那个女人，她肯定弗农上个星期天确实中途溜出了教堂。她跟弗农当场对质，将她所看见的一切都说了出来，弗农知道这场游戏该结束了，于是招供了他的杀人过程。

另几个离奇的案例

还有几个案例几乎与上一个案子同样离奇，我们简直无法相信它们是真的。

1956年，一位年轻的女人在南非走失了，警察们也毫无办法找到她，所以她的家人只好找到一位具有超自然能力的酋长。这位离任的酋长只是拿着一个东西就能准确地找到东西的主人在哪里。

女人的家人给了酋长一些她常穿的衣服，在一个黑暗的屋子里，酋长把手放在衣服上，闭上眼睛，沉默了几分钟，然后说道，这个女人已经死了，尸体就在距她家几里的一条河里。

于是酋长带领一群人去找那个女人，果然就像酋长所说的那样，人们在那里发现了女人的尸体，后来证实她是被住在附近的一个熟人用枪杀死的。

1827年，有一位年轻的女孩被男朋友杀了，尸体被埋在英格兰萨福克郡一个红色仓库的地板下。不久女孩的父亲就做噩梦，梦见一个红色仓库的地板被人打开了，里面露出了女孩的尸体，这个噩梦还透露了尸体被埋的确切地点。

女孩的父亲怀疑这个梦是他死去的女儿托给他的，于是他找到这个红色仓库，偷偷地进到里边，就在梦中提到的那个地点，他发现了女儿被掩埋的尸体。

1979年的一天，一个年轻的俄罗斯女孩出去滑冰，后来就再也没有回家。家里人把她的一张照片和学校作业送到一个英国女人那里，这个人因为有巫术而远近闻名，就在接到照片和作业的那一刻，她就“看见”了女孩所发生的一切：可怜的女孩被一个身材高大、头发棕色的男人给勒死了，凶手大约30岁，圆脸，上嘴唇有胡子。

这个信息被传给了俄罗斯警察局，当局其实已经怀疑上了这个人，现在这种怀疑得到了证实，所以他们很快就把嫌疑人抓获了，嫌疑人交代了杀人的完整过程。

上面说的这四个案例，我建议你只当作是趣闻听听算了。有人确实相信有“超能力”存在；而真正信奉科学的人则认为这最多不过是巧合而已，“超能力”的说法纯属无稽之谈。不管怎么样，有一点是肯定的，假如你是一个像我一样的“普通人”，你就不要指望靠这种方法去破案。

别说我没警告过你啊！

真话、谎言和小侦探

假定有人从你们家的保险箱里偷走了很多现金，你认为你知道是谁撬开了保险箱行窃，但是却没有证据来证实这一猜想，那么你会用什么方法让你的“嫌疑人”招供呢？你会用以下哪种方法？

a）收买

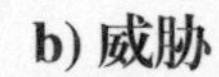

c）用刑

警察是被禁止使用刑讯逼供方式取得口供的，但是警察可以审问嫌疑人以求得真相。审讯过程中嫌疑人可以解释他与案件无关，警察也可以问一些与案件有关的问题，目的就是让撒谎的嫌疑人说的话自相矛盾，从而作茧自缚。

当然，这种方法不是老能奏效，所以警察有时也用一些别的办法来取得他们所需要的证据。一些侦探认为，用测谎仪对嫌疑人进行测试是得到真相的一个好方法。因为测谎仪能够记录下一个人在受讯问时的呼吸、心跳、出汗及血压等的变化状况，仪器操作员首先会从各种日常生活问题入手，接着转到有关案件的问题上。之所以说测谎仪有效，是因为真正的罪犯在被问到与案件有关的问题时，其呼吸、心跳、脉搏的反应比回答普通问题时要强烈得多。

尽管你认为用测谎仪能够知道你妈妈是不是真的溜进你的房间里偷看日记，但并不是所有侦探都信服测谎仪，很多人认为测谎仪的测试结果不会老是准确的，有些时候很可能出大错。

自己动手设圈套

你怀疑有人偷偷进入了你的房间，所以决定用手头的东西证明自己的怀疑。那么到底该怎么做呢？

答案

你可以将看不见的线剪下几厘米，将线的一端系在房间门的底端，然后关上门，将线的另一端系在门框上。如果你回来时线被移动过，那就肯定有人进来了。

监视行动

侦探常用的另一种破案方法就是暗中监视，监视通常分为三种：动态监视、静态监视以及技术监视。

动态监视

这是指一个或几个监视人员开车、骑车、乘船或步行来监视嫌疑人。

女侦探携带着隐形无线通话系统

静态监视

指一个或几个侦探密切监视嫌疑人、罪犯或是被认为是犯罪行为发生地的固定场所，比如从监视车里进行监视活动。

破案纪实

多年以来，美国的执法者通过静态监视和一只遥控驯鹿模型，抓住了很多驯鹿偷猎者。执法者把驯鹿模型放在一个合适的位置，操作人员通过遥控器在125米左右的地方操作驯鹿，使它摇头摆尾地看起来跟真鹿一样。当偷猎者举枪向鹿瞄准时，躲在一边的监视人员就会将这个过程录下来，以此为证据逮捕偷猎者。

被刷上黑漆的内部嵌板 它能够起到保温和隔音效果

警报装置 它由内部开关控制，可以使好管闲事的人走开

磁性标识 可以移动或取走，这样就能改变车的外观

监视车

技术监视

一个或几个监视人员运用一些技术设备（如窃听器、偷拍机、偷录机、跟踪拍摄仪）来实现对嫌疑人的监视。

跟着那辆汽车

要想跟踪犯罪嫌疑人，一个最好的办法就是在嫌疑人的车上偷偷装上一套全球卫星定位系统（GPS）接收器。有了这个东西，地球上的航空卫星就会发出信号，这种信号能够被接收器收到。根据这些信号，GPS接收器能够给车辆精确地定位，然后把位置信息通过电话或无线网络传送给一台电脑，电脑就能在一幅电子地图上显示出车辆所在的位置。

美国的执法者们用诱饵车抓住了很多偷车贼。他们在车上安装了一个隐蔽的摄像机和一套跟踪设备，然后故意不锁上这辆车，钥匙留在点火孔里。当偷车贼试图发动车时，车门会自动锁上，有警察会用遥控器将车发动机关掉，接着就有警察跟着一辆监视车过来，将偷车贼抓住，因为有被盗车辆上的录像为证。如果发生什么意外或是发动机没被关掉，偷车贼将车开跑了，那么车上的跟踪设备就能帮警察找到这辆车。

闭路电视的作用

许多公共场所如购物中心、银行、街道现在都安装了电视摄像机（又叫闭路电视），它帮助人们抓获了各种各样的流氓，包括伦敦长钉爆炸者。

犯罪实录

案例研究10：伦敦长钉爆炸者

1999年4月17日，伦敦南部的一条繁华大街上发生了一起长钉爆炸案（即用一种特制炸药作案，这种炸药爆炸后以尖钉伤人），一周后，伦敦东部也发生一起类似案件。第三个星期，第三枚炸弹又在市中心撒下了大量的钉子，造成大量人员伤亡。

警方立即展开了大规模的调查，他们检查了1000多个闭路电视里的录像带（相当于26 000个小时的电影长度），很多录像带都集中了好几部闭路摄像机的图像，也就是说录像带上的一幅图包含好几幅从不同摄像机上截取的图像。

幸好有目击证人看见了装有长钉炸弹的运动包，所以警察们浏览了整个伦敦南部的闭路电视，想找出所有背着那种运动包的人。最后，他们看到了两幅图像：第一幅表明有人背着一个与炸弹包一样的运动包；第二幅则是那个人没背包时的情景。但是，由于监视录像图像很小且很模糊，很难看清嫌疑人的长相。所以，警察不得不把这两幅图送给专家去放大辨认。

同时，他们又从闭路电视录像带中找出了很多图像，都是一个男人背着类似运动包或没背包时的画面，警方把这些图片发在了报纸上，有人认出了嫌疑人，向警方指认这个人就是大卫·科普兰。

警方很快就在科普兰的家中抓住了他，他很快招认是他放置了那些炸弹，犯罪动机就是仇恨，他恨那些住在或经常出入那些爆炸区域的人们。

2000年6月30日，大卫·科普兰被判终身监禁。

尾声

现在知道了，“那就是罪犯！”——电视上的破案节目在晚上总是让人很快入睡。
破案节目

本书的读者将会知道……
破案术大全

破案人员不仅依靠自己的侦查技术来抓获罪犯，

他们还会用到科学技术，就像下面这些新闻标题所说的那样……
罪犯难逃
世界上第一个国家级DNA数据库使得900个DNA样本
案例时间
英国一个领先的法庭科学组织一年破获100 000个案子
今日DNA
科学家们宣布头皮中的DNA样本

而且，为了与犯罪行为做斗争，人们正在开发更为先进的技术和有效的手法。
没错，还是他干的！

所以下一次你如果再对什么人或事有怀疑，就可以运用你的侦查能力和科学技术来成功地破案……
嗯……

啊，就像我怀疑的那样，的确有人动了我的东西！
啊噢！
日记
可移动激光装置

还要记住，如果有人来找你去实施犯罪行为，那你就告诉他自己不在家。
叮咚
模拟犯罪

呃……
我们不在家！

那就算了！

好了，合上书，去睡觉吧！

CASE CLOSED